Juul on fire

Kijk ook op www.ploegsma.nl

ISBN 978 90 216 7459 9 / NUR 283

Vormgeving omslag: Annemieke Groenhuijzen
Vormgeving binnenwerk: Nancy Koot
Omslagbeeld: Masterfile

Uitgeverij Ploegsma drukt haar boeken op papier met het FSC-keurmerk. Zo helpen we waardevolle oerbossen te behouden.

Yvonne Huisman

Uitgeverij Ploegsma Amsterdam

1

WHO DO I TELL - Jill

0

0 0

Het knipperende pijltje op mijn computerscherm hangt al drie minuten boven de knop *upload video.* Mijn vinger zweeft boven mijn muis als een mug boven zijn prooi. Dan hoor ik de bel. Ik richt mijn rechteroor naar de gang, duw mijn kin de lucht in en luister naar de geluiden die van beneden komen. Jans doet de voordeur open. Ik hoor een dag, een lach, dan stuift iemand de trap op.

Pim, kan niet missen.

Shit! Ik kijk naar mijn scherm waar het commando *upload video* me nog altijd aanstaart. Het is nu of nooit. Terwijl ik zelf nog twijfel, besluit mijn vinger dat het lang genoeg heeft geduurd.

Klik.

Geschrokken staar ik naar het scherm. Het is gebeurd.

Tijd om erover na te denken, krijg ik niet. De deur knalt

open. Berta, mijn hond die bij voorkeur pal achter deuren ligt, schrikt zich een ongeluk. Ze kruipt beledigd onder mijn bed. Pim heeft er geen boodschap aan.

'Hé Juul, ik hoor net op de radio dat de lente is begonnen, ga je mee surfen, de zon schijnt!'

Pim wijst naar buiten. Verdwaasd kijk ik zijn vinger achterna.

Dan richt ik me weer op het scherm voor mijn neus. Daar staat inmiddels een nieuwe boodschap: *thank you*. Vriendelijk maar beslist. Ik slik. Het is echt waar, het staat erop. Het liedje staat op YouTube. Míjn liedje, waar ik weken op geoefend heb. Het staat online. En dat betekent dat de hele wereldbevolking, 7.146.238.458 mensen om precies te zijn, ernaar kan luisteren. En ook dat elke *nono*, van Timboektoe tot Tzatzikistan er iets van kan vinden. Het belachelijk kan maken, het kan afbranden.

Achter me schuift Pim ongeduldig heen en weer.

'Kijk nou Juul, dáár, de zón! We kunnen surfen!' En hij wijst weer naar het raam. Ik kijk gehoorzaam langs hem heen naar buiten, waar ik inderdaad een heel flauw zonnetje zie.

'Wil je surfen?' vraag ik verward. 'Dat is toch veel te koud?'

'Nee hoor.' Pim is nu echt niet meer te stuiten. 'Het is lénte, ik heb het zelf gehoord, we kunnen weer!'

Ik ben terug op aarde, kijk nog één keer naar mijn scherm en sluit dan resoluut mijn laptop af.

'Het is máárt idioot, maar laten we gaan surfen. Ik kan wel wat afleiding gebruiken.'

2

BEAT IT - Michael Jackson

325.092.954

15.771 866

Een paar maanden geleden ben ik verhuisd en kwam ik terecht op het Wellant College. Op mijn eerste schooldag na de zomervakantie werd ik aan het enige lege tafeltje in de klas gezet. Het tafeltje naast Pim. Binnen twee seconden moest ik om Pim lachen, binnen drie minuten wist ik dat we best eens vrienden konden worden, zes maanden later zijn we onafscheidelijk.

Pim staat midden in mijn kamer. Met zijn broek op zijn knieën en zijn kont in de lucht graait hij in een tas naar zijn surfpak. Ik haal ondertussen mijn kledingkast overhoop en kieper de dozen die nog over zijn van de verhuizing leeg boven mijn bed. Omdat we zeker vier maanden niet hebben gesurft, heb ik geen idee waar ik al mijn surfzooi (een uitdrukking van mijn vader, en een zeer ongepaste als je het mij vraagt) heb gelaten.

'Pim, help even man, mijn surfplank moet naar beneden.'
'Wacht effe,' klinkt er gesmoord vanuit Pims tas.
Omdat wachten niet mijn sterkste punt is, begin ik vast te sjorren aan de plank die boven mijn hoofd in zijn stalling ligt. Vlak nadat we in ons nieuwe huis zijn komen wonen, heeft mijn vader een rek tegen mijn plafond geschroefd. Ik weigerde mijn plank in de schuur op te bergen. Mij stoppen ze toch ook niet in zo'n koud en tochtig hok? Sindsdien hangt mijn liefste bezit, naast mijn gitaar dan, in de wintermaanden altijd boven mijn hoofd.
'Au, Pim, help!'
Doordat ik met mijn hele gewicht aan mijn surfplank ben gaan hangen, is niet alleen de plank maar ook het rek waarin hij lag opgeborgen naar beneden gekomen.
'Piiiim!'
Bedolven onder staal, plank en alle spullen die in de loop van de tijd ook richting plafond zijn verhuisd, lig ik op de grond. Ik kan me niet meer bewegen. Vanuit mijn benarde positie zie ik nog net hoe Pim zijn hoofd uit zijn tas haalt, overeind komt en zich langzaam omdraait. Geïnteresseerd bekijkt hij de puinhoop die ik heb aangericht.
'Ik weet niet of je vader dit heel leuk vindt, Juul.' Hij buigt zich voorover om mij beter te kunnen zien, dan draait hij zich om en begint uitgebreid het plafond te bestuderen. Op de plek waar eerst het rek hing, zijn nu alleen nog vier grote, gapende gaten zichtbaar.
'Help nou man!' piep ik benauwd. Ik wurm mijn beknelde arm los en voel voorzichtig aan de bult die zich midden op mijn voorhoofd begint te vormen.
Een half uurtje later kunnen we dan toch op pad. Nadat ik mijn surfspullen bij elkaar heb gezocht en we mijn kamer in staat van aardbeving hebben achtergelaten, stappen we op de fiets. Tevreden voel ik hoe de veel te zware

rugzak aan mijn schouders trekt en zelfs het irritante gestuiter van het surfkarretje achter mijn fiets voelt aangenaam. Misschien moet ik er een liedje over schrijven.

'Pim, volgens mij is het nog best koud. Weet je zeker dat het niet vriest?'

We staan op het strand en ik probeer de rits van mijn surfpak omhoog te trekken. Het lukt me niet. Mijn vingers zien blauw, er zit nu al geen gevoel meer in.

'Nee joh, het is helemaal niet koud!' Pim is al onderweg naar het water, zijn surfplank onder zijn arm. 'Gewoon even pissen in je pak, ben je zo warm!' gilt hij nog achterom. Dan verdwijnt hij in de golven. Ik laat me niet kennen, geef nog een laatste ruk aan mijn pak en ren ook het water in.

'Hiha!' Na maanden droog gestaan te hebben, lijken we nu net twee puppies die voor het eerst naar buiten mogen. We lachen, gillen en zingen tegelijk.

'Kijk Juul, *nose ride*!'

Pim heeft een hoge golf te pakken en schuifelt langzaam naar het voorste puntje van zijn board. Hij haalt het niet. Een tweede golf neemt hem te grazen en lanceert Pim met plank en al de lucht in.

'*Nose dip* zul je bedoelen!' roep ik naar hem als hij proestend weer bovenkomt. Ondertussen zoek ook ik de neus van mijn plank op.

'Je leunt te veel naar vóóóren!' Ik hoor de waarschuwing van Pim nog wel maar het is al te laat, ook ik vlieg van mijn plank.

Shit! Wilde ik Pim even laten zien wie hier *the queen of the nose ride* was. Grrr. Gauw duw ik mijn plank terug het water in. Ik zal hem krijgen!

Na een uur moet ik opgeven. Mijn tenen liggen opgebaard in mijn schoenen, mijn tanden klapperen zo hard dat ik bang ben dat ze mijn beugel nog vermorzelen.

'Kommmm, zoo kouddd, kga naarr huissss.'

Ik kan niet meer praten, klink alsof ik stomdronken ben (ik weet eigenlijk niet hoe dat klinkt maar vermoed dat het zoiets moet zijn).

Pim schudt zijn hoofd. Ook zijn lippen kunnen niet meer open of dicht. Hij wijst naar de duinen. Ik weet wat hij bedoelt, hij wil een vuurtje stoken. Ik vind het best. Alles goed, als ik er maar warmer van word. Tien minuten later zitten we in een duinpan. De wind is weg, de eerste vlammetjes flakkeren op. We gaan er met z'n tweeën zo ongeveer bovenop zitten.

'Heb je nog naar dat filmpje gekeken op YouTube?' vraagt Pim als zijn lippen weer kunnen bewegen. 'Je weet wel, van die *surf dude* op Hawaii?'

Slik, YouTube.

Was ik door het surfen even afgeleid, Pims opmerking zet me meteen weer met beide benen op de grond. Ik kijk op mijn horloge. Het is alweer 123,5 minuten geleden dat ik een van mijn liedjes op YouTube heb gezet. Het moet in een vlaag van verstandsverbijstering zijn geweest en nu staat het daar maar. Doodleuk overgeleverd aan kuddes idioten die uit verveling maar wat ronddolen op internet.

Waarom heb ik het er überhaupt opgezet? Wat dacht ik daar nou helemaal mee te bereiken? Dat een producer mij zou opmerken? Dat hij een plaat met me zou willen maken? Juul, *wake up*, dat gaat nooit gebeuren. Moet het er straks maar gauw weer afhalen.

'Hé, kijk, je vriendinnen.' Pim geeft me zo'n harde zet dat ik bijna in het vuur beland. Ik draai me om en zie aan de rand van de duinpan Anne en Vera staan. Allemachtig, ook dat nog.

Anne en Vera zijn mijn klasgenoten. Vijf dagen per

week, zes uur per dag zit ik met ze opgesloten in een leslokaal. En dat is meer dan verantwoord is.

'Juul, wat is er met jou gebeurd?' Annes stem, die normaal al irritant hoog is, scheurt mijn trommelvliezen aan flarden. Ze is duidelijk in shock en ik denk dat ik weet waarom. Met mijn winterjas over mijn natte surfpak en mijn haren als te lang gekookte spaghetti langs mijn gezicht, ben ik bepaald niet klaar voor een fotoshoot. En dat zou ik wel moeten zijn. Volgens Anne dan. Je weet tenslotte nooit hoe dingen lopen in het leven.

Maar ik heb het mis. Met haar barbie-ogen opengesperd wijst Anne naar mijn hoofd.

'Wat is er gebeurd, je hebt... er zit... je bent gewond!'

Verbaasd draai ik me om naar Pim, maar die lijkt ook ineens iets vreselijks aan me te zien.

'Juul is vanochtend aan de dood ontsnapt.' Pim kijkt Anne ernstig aan. 'Ze heeft een massief stalen hek van wel vijftig kilo op haar hoofd gehad. Zeker tien minuten heeft ze in coma gelegen. Ze was totaal van de wereld. Gelukkig heb ik haar kunnen reanimeren, maar het was kantje boord.'

Pim buigt zijn hoofd alsof de emoties hem te veel worden. Dan kijkt hij mij vanuit zijn ooghoeken voorzichtig aan. Hij kan zijn lachen niet inhouden.

Anne staart me ondertussen geschokt aan. 'Maar wat doe je dan hier? Je hebt een zware hersenschudding, je moet minstens twee weken rust houden! Hè Vera? Dat heb jij toch ook wel eens gehad, je kon toen geen licht verdragen, weet je nog?'

Naast Anne staat Vera hevig te knikken. 'Je moet er echt mee uitkijken hoor, anders heb je voor de rest van je leven migraine. Mijn opa heeft ook migraine, een heel ernstige vorm. We moeten altijd heel zachtjes doen als we bij hem op bezoek zijn.'

Mijn hand gaat automatisch de lucht in, voelt aan mijn voorhoofd en stoot daarbij tegen de bult, die inderdaad ongemerkt wanstaltige proporties heeft aangenomen.

'Au! Denk dat ik inderdaad migraine krijg,' mompel ik terwijl ik zachtjes over mijn voorhoofd wrijf. 'Misschien moeten we inderdaad maar naar huis gaan.'

Pim en ik grijpen onze kans, staan als één man op. Wegwezen! Snel gooien we wat zand op het vuur en zoeken onze spullen bij elkaar.

'Bedankt hoor,' roept Pim nog over zijn schouder als we het duinpad aflopen. 'Ik ga haar gauw wegbrengen.'

Tien minuten later ben ik thuis. Ik neem een hete douche, probeer mijn lichaam warm te wrijven met een handdoek. Het levert niks op. Behalve dan een geschuurd velletje dat schreeuwt om een van de vochtinbrengende crèmetjes waar Jans kastenvol van heeft staan. Geen tijd. Ik steek mijn voeten in twee afzichtelijke maar warme leeuwenpoten (kerstcadeautje van mijn vader, hij straalde) en zet mijn laptop weer aan. Hoogste tijd om mijn YouTube-actie terug te draaien. Mijn liedje moet eraf. Maar eerst haal ik nog even mijn mail binnen. Ik heb één bericht.

Afzender: Jans
Onderwerp: horoscoop week 11

Ik glimlach. Jans (drie jaar na de dood van mijn moeder kwam ze bij ons wonen nadat we plechtig beloofd hadden geen mama tegen haar te zeggen) schrijft elke week horoscoopjes. Dat doet ze voor iedereen die ze maar wil lezen. Voor de groenteboer, de postbode, de buurvrouw en natuurlijk voor mij. In het begin vond ik het maar onzin, nam het niet serieus. Maar inmiddels merk ik dat ik er elke week naar uitkijk. Nieuwsgierig klik ik op de mail.

> Voor mijn steenbokje
> Uitdagingen zijn er om aan te gaan. De komende week leent zich daar goed voor. Aarzel niet langer, haal flink adem, spring in het diepe. Het komt vast goed!
>
> x Jans

Verbaasd staar ik naar het scherm, lees opnieuw wat er staat. Het is echt niet de eerste keer dat ik me aangesproken voel door een horoscoop van Jans. Maar deze is wel erg raak. En ik heb Jans niet eens verteld dat ik dat liedje online heb gezet!

Ik leun achterover, plant mijn leeuwenklauwen op de verwarming en lees nog een keer Jans' woorden.

> Haal flink adem, spring in het diepe.

Beng. Dat is precies wat ik ga doen. Ik laat mijn liedje staan, zie wel wat ervan komt. *Let's go, girl*!

3

STORY OF MY LIFE - One Direction

84.013.834

1.452.231 41.827

Het is vrijdagmiddag twee uur, we hebben Duitse les (degene die het rooster heeft gemaakt, is duidelijk een kinderhater). Om de tijd toch een beetje goed te benutten, doen we dit uur altijd klassikaal een tukje. Het weekend staat tenslotte voor de deur en dan wil je een beetje uitgerust voor de dag komen. Vanmiddag schiet ons schoonheidsslaapje er jammer genoeg bij in. Mevrouw Friedrichs, die naast juf Duits ook onze mentor is, heeft besloten dat we nieuwe plaatsen krijgen. We zijn veel te druk, de andere leraren hebben bij haar geklaagd. Hyperventilerend wachten we op wat komen gaat.

'Frank, jij verhuist naar Paul, Vera, jij gaat naast Juul, Tom komt naast Pia, Pim mag naar Anne ...'

Pims naam is nog niet gevallen of hij schiet overeind en geeft me een mep op mijn rug. Zonder geluid te maken, vormt zijn mond de naam A-N-N-E. Hij ziet eruit of hij elk moment over zijn nek kan gaan.

Ik kan me er iets bij voorstellen. Vol medelijden kijk ik hem aan, mijn handen hulpeloos in de lucht.

'Kan er ook niks aan doen,' fluister ik terwijl ik aan Tom Poes denk, mijn kat die vorig jaar is overleden. Ik weet dat ik er dan op mijn treurigst uitzie.

Even lijkt Pim er genoegen mee te nemen, met een plof laat hij zich achterover zakken. Maar Pim zou Pim niet zijn als hij zich zo snel bij de situatie neer zou leggen. Ineens schiet hij weer overeind, duwt zijn stoel naar achteren, gaat rechtop staan en kijkt mevrouw Friedrichs aan met zijn wat-maak-je-me-nou-dit-kun-je-me-echt-niet-aandoen-blik.

Gedurende een seconde of zo is het stil (Pim weet dat zijn blik tijd nodig heeft om in te werken), dan ademt hij diep in en begint te ratelen.

'Sorry hoor mevrouw Friedrichs, het spijt me echt maar dit... dit kan echt niet. Dit KAN ECHT NIET!'

Pim laat een dramatische stilte vallen, kijkt verontwaardigd om zich heen.

'Anne is een MEISJE. En meisjes zijn heel anders dan jongens. Die moeten kunnen kletsen over... over verliefd worden en over... over verkering en over dat het dan weer uitgaat en zo. En jongens doen dat niet en dan... dan...'

Mevrouw Friedrichs kijkt Pim geamuseerd aan, een vals lachje om haar lippen.

'*Und dann*, Pim?'

'Nou... dan... dan...'

Pim heeft in de gaten dat het de verkeerde kant opgaat. Ik zie hem koortsachtig nadenken.

'Nou... dan, eh... dan... kunnen we ons toch niet concentreren!' Hoopvol kijkt Pim mevrouw Friedrichs aan.

Zijn hoofd een beetje schuin op zijn nek, zijn ogen op de hondenstand (dagen heeft hij bij ons thuis op de grond gelegen in een poging zich de blik van mijn hond eigen te maken).

Hoewel Pim normaal gesproken precies weet hoe hij vrouwen van boven de veertig moet bewerken, laat zijn tegenstander zich vandaag niet vermurwen. Mevrouw Friedrichs geeft geen krimp, ze houdt haar Duitse rug kaarsrecht.

'Och, aber wenn du dich nicht konzentrieren kannst, Pim, dann habe ich noch einen Tisch für dich allein. Das ist kein Problem, mein Pim.'

Pim valt stil, weet nu echt niet meer wat hij moet zeggen. De klas begint zachtjes te gniffelen. *Game, set and match,* mevrouw Friedrichs.

Verslagen gaat mijn maatje weer zitten, om hem heen komt de volksverhuizing op gang. Spullen worden bij elkaar geraapt, tassen ingepakt, nieuwe buren opgezocht.

Omdat ik aan mijn tafel mag blijven zitten, gris ik snel mijn mobiel uit mijn tas. Even kijken hoe het met mijn liedje is. Ik surf naar YouTube, al snel verschijnt op mijn schermpje de tekst. En hoewel ik ieder woord natuurlijk kan dromen, vliegen mijn ogen automatisch over de regels.

Who do I tell
It's such a beautiful day
I'm walking down the shore
The sky clear blue, the sea shining bright
I never felt happier before

But who do I tell
how it smells, how it looks, how it feels
Who do I tell
how wonderful it feels

It just would be nicer
if you would be there
we could laugh
we could run
we could smile
The wind through our hair

Ineens voel ik hoe iemand zich over mijn schouder buigt. Vera, mijn nieuwe buurvrouw.

'Wat doe je, wat heb je daar?'

Snel druk ik YouTube weg, stop mijn mobiel weer in mijn tas.

'Niets,' sis ik terug. Pff, nou heb ik niet eens kunnen checken of ik al *views* heb.

Naast me merkt Vera niks van mijn frustraties. Ze checkt haar nagels, duwt ze onder mijn neus. 'Mooi hè, parelmoer. Schijnen je nagels harder van te gaan groeien.'

Onnozel kijk ik haar aan. Harder groeien? Wat een gedoe, moet je die dingen nog vaker knippen.

Vera lijkt er niet mee te zitten, die is alweer druk met andere zaken. Vol verbazing zie ik hoe haar strak gelakte vingertjes vliegensvlug een vlecht knopen. Ondertussen fluistert ze dat ze een nieuwe shampoo gebruikt. Eiershampoo.

'Mijn haar is superzacht, moet je voelen.'

Voor ik weg kan duiken, hangt ze al boven mijn tafel en duwt ze haar haar in mijn neus. Mijn hand gaat al gehoorzaam richting vlecht, maar gelukkig kan ik hem nog net op tijd tot de orde roepen. Had ik toch bijna Vera's haar zitten aaien; ik moet echt beter opletten.

Vera heeft mijn weigering in de gaten, ze kijkt me bitchy aan.

'Och ja, dat was ik even vergeten, jouw haar is van nature natuurlijk al zacht.'

Voor ik kan reageren op deze briljante constatering is Vera alweer afgeleid.

'Hé, wat is dat?' Vera graait in mijn etui en trekt mijn plectrum eruit.

'Afblijven,' reageer ik direct en ik ruk het platte driehoekje dat je gebruikt om gitaar te spelen uit haar handen. Fel kijk ik Vera aan. Ondertussen gaan mijn vingers zachtjes over mijn dierbaarste bezit. Ik kreeg het plectrum van mijn moeder vlak voor ze stierf. Zo kon ik altijd aan haar denken als ik muziek maakte. Stiekem denk ik dat ze me liever een ringetje had gegeven of een mooi kettinkje. Maar mijn moeder wist ook wel dat ik dat nooit zou gaan dragen. Daarom gaf ze me het plectrum. Hij is van zilver en in het hoekje heeft ze een klein hartje laten ingraveren.

'Afblijven,' bijt ik Vera nog een keer toe en stop het plectrum terug in mijn etui.

Verbaasd kijkt Vera me aan, dan draait ze haar hoofd weg en steekt haar vinger op. Ze moet dringend plassen.

'Nee, mevrouw Friedrichs, ik kan echt niet wachten tot de pauze.'

Ik ben allang blij, Vera is zeker een kwartier weg, ze plast heel langzaam. Ik duw het plectrum nog wat dieper in mijn etui, pak mijn mobiel weer uit mijn tas en ga op zoek naar mijn liedje.

Who do I tell...

Mijn hart maakt een sprongetje als mijn foto op het schermpje verschijnt. Je herkent me niet, de foto is een beetje wazig. Bovendien zie je alleen mijn handen die gitaar spelen en een stukje van mijn haar. Op zich ben ik er wel tevreden over. Het heeft iets eenzaams, iets allenigs. Het past goed bij het liedje.

Ik scrol naar beneden en zie dat ik nog geen *views* heb en al helemaal geen *likes*. Nul, nada.

Ik zucht, gooi YouTube dicht, stop mijn mobiel weer in mijn tas. Mijn zangcarrière is al gestrand voordat hij is begonnen. Als een surfplank op een drooggevallen zandbank.

4

HELP! - The Beatles

3.099.242

989 21

Het is halfvier, de school is uit. In de fietsenstalling nemen we zoals elke vrijdagmiddag onze plannen voor het weekend door.

'Zullen we nog even gaan surfen?' Pim staat alweer te springen.

'Mmm, ik weet het niet hoor.' Doorgaans ben ik niet uit het water te slaan, maar nu heb ik toch mijn twijfels. De gedachte aan het ijsbad van een paar dagen geleden maakt dat ik spontaan een loopneus krijg.

'Ik denk dat ik naar huis ga, Pim, ben een nieuw liedje aan het schrijven, wil nog wat uitproberen op mijn gitaar.'

Pim krijgt geen tijd te protesteren, vlak achter hem begint Anne te tetteren.

'Hé Juul, wat ga jij nou doen dit weekend? Dat wordt natuurlijk niks met die bult op je hoofd. Dat je überhaupt naar school bent gekomen. Kon je niet doen of je ongesteld was of zo? Ze kunnen toch niet van je verwachten dat je zo over straat gaat!'

Met opgetrokken wenkbrauwen kijk ik Pim aan. Weet iemand hoe we dat kind onklaar kunnen maken? Ach, laat ook maar. Tijd om te gaan. Ik geef Pim nog snel een high five, stap dan op mijn fiets en rijd het schoolplein af.

Eenmaal buiten het dorp besluit ik een stukje door de duinen te fietsen. Op mijn dooie akkertje trap ik tussen de witte heuvels door, in de verte zie ik nog net een streepje blauw van de zee. Mijn zee. Ik begin te zingen.

But who do I tell
how it smells, how it looks, how it feels
Who do I tell
how wonderful it feels...

Plotseling voel ik een hand op mijn rug. Ik schrik me een hartaanval, stop abrupt met zingen.

'O, niet doen, het klonk supermooi.'

Naast me rijdt Miel, de drie jaar oudere broer van Pim. Ik ken Miel niet goed, alleen van de verhalen van Pim. Die is dol op hem, een beetje te als je het mij vraagt. Want als je Pim mag geloven, is Miel een megaslimme, überknappe en superpopulaire jongen die elk meisje om zijn vingers kan winden. Het klinkt me allemaal wat overdreven in de oren maar echt oordelen kan ik niet. Ik zie hem alleen af en toe voorbij schuiven in de gangen op school. En hoewel hij me wel gedag zegt, heb ik sterk het gevoel dat hij dat alleen doet om zijn broertje te stangen.

Ik zag vandaag weer dat schattige vriendinnetje van je...

Maar nu fietst die zogenaamde playboy van een Miel

dus naast me. En hij lijkt voorlopig niet van plan me alleen te laten.

'Doe je dat wel vaker?' vraagt hij nonchalant, zijn hand nog altijd op mijn rug.

Ik kijk hem onnozel aan, voel hoe mijn wangen van kleur verschieten.

'Ik bedoel dat zingen,' gaat hij verder. 'Op de fiets?'

'O, dat...' stamel ik terug, 'eh, ja, ik denk het wel.'

Miels hoofd bevindt zich op nog geen twintig centimeter afstand van mijn hoofd. Zijn gezicht lijkt alleen uit ogen te bestaan. Knalblauwe ogen.

'Leuk!' Miel geeft me een knikje. 'Je kan het ook echt mooi. Zit je op les?'

Ik zie alleen maar die ogen, die ongezond blauwe ogen.

'Eh, ja. Nee! Ik zit op gitaarles, niet op zangles. Niet meer tenminste. Ik moet nog een nieuwe vinden. Een nieuwe leraar bedoel ik. We zijn verhuisd. Pas.'

Miels ogen beginnen te branden. Ik wil er niet langer naar kijken. Hij heeft tenslotte ook een neus. En een mond. Allemachtig, die ogen...

Miel lijkt niets te merken van mijn verwarring en vraagt onverstoorbaar door. 'Wauw, jij bent muzikaal, hoelang doe je dat allemaal al?'

'Eh, vanaf mijn zesde of zo. Nou ja, ik weet het eigenlijk niet, misschien mijn zevende.'

Ik ga dood. Wíl dood, gewoon hier, ter plekke. Kan Miel me direct in zee dumpen.'

'Cool zeg! En treed je ook wel eens op? Heb je een band of zo?'

Miel is niet uit het veld te slaan, zijn hand ligt nog altijd op mijn rug. Ik moet me enorm bedwingen dat ding er niet af te schudden. Maar ik ben nog wel zo slim om dat niet te doen. Dan zou ik niet eens een zeemansgraf waard zijn.

'Eh, nee. Nee, ik treed niet op. Zou het best willen, hoor. Maar nee, nee, nu doe ik dat nog niet.'

Miel haalt eindelijk zijn hand weg. Pfff... Tot nu toe heb ik nooit zo in God geloofd. Maar misschien moet ik er toch eens over nadenken. Dank je wel, God. Echt bedankt.

Voorzichtig trek ik mijn schouders wat op, laat ze dan weer langzaam zakken. De hand is weg, echt weg.

'Nou dan ga ik maar, Juul, ik moet hier naar links.'

We zijn aan het einde van het duinpad gekomen. Miel moet inderdaad naar links (dat moet Pim ook altijd) en ik nog een klein stukje rechtdoor. Wat een geluk dat mijn vader een huis in de Kerkstraat heeft gekocht en niet aan de Lindenweg waar Miel en Pim wonen. Of is dat juist jammer? Aaah! Ik geloof dat ik langzaam gek aan het worden ben. STAPELgek.

Ik schud mijn hoofd en tover mijn meest nonchalante blik tevoorschijn.

'Oké, doei!'

'Doei, Juul, en volgende keer niet stoppen met zingen, hè!'

Ik geef Miel nog een schaapachtig lachje en fiets dan gauw door.

5

WE WILL ROCK YOU - Queen

9.352.231

53.712 1809

'Geef de aardappelen eens door, Juul.' Jans hangt met haar hand al boven de tafel in afwachting van de schaal waarin volgens haar de aardappelen zitten. Ik denk ook dat het aardappelen zijn geweest. Lang geleden.

'Alsjeblieft.' Ik geef de schaal aan Jans.

'Wil jij niet, meis?'

'Nee, dank je, denk dat ik een allergie aan het ontwikkelen ben voor aardappelen.'

Jans vindt het prima, het maakt haar niet uit waar ik allergisch voor ben.

'Juul, ik heb in een doos op zolder wat oude opnames gevonden van de band waarin ik vroeger heb gespeeld. Zullen we strakjes samen kijken?'

'Heb jij in een band gespeeld?' vraag ik verbaasd aan Jans, terwijl ik nog wat doperwten opschep. Die zien er redelijk ongevaarlijk uit vanavond.

'Ja joh, een paar jaar, van mijn achttiende tot mijn tweeëntwintigste ongeveer. Jij weet dat toch wel, Hubert?'

Mijn vader opent zijn mond om antwoord te geven, maar Jans kletst alweer verder.

'Was tijdens mijn studietijd in Amsterdam. We speelden in kroegen en op festivals en zo. Ik was de zangeres.'

'Wat voor muziek speelden jullie dan?' Ik ben nu echt nieuwsgierig. Twee erwtjes vliegen van mijn lepel en stuiteren via de tafel op de grond. Ik laat ze liggen, er ligt wel meer op de grond sinds mijn moeder er niet meer is.

'O, vooral hardrock en heavy metal. Was in mijn zwarte periode. We zopen en snoven als gekken, mijn ouders wisten zich geen raad.'

'Jans, is dat nou nodig?' Mijn vader schudt zachtjes zijn hoofd en kijkt Jans een beetje beschuldigend aan. Ondertussen zie ik hoe zijn hand tussen de pannen door richting die van Jans glijdt, haar vingers vastpakt, ze zachtjes begint te strelen.

Twee jaar geleden leerde mijn vader Jans kennen. Hij was direct stapelverliefd (volgens Jans dan). Er is niks veranderd sindsdien.

'Ach Hubert, in de muziekwereld was dat heel gewoon, hoor. Nog steeds, trouwens. Hoeveel zangers zijn er niet verslaafd aan van alles en nog wat. Dat weet Juul toch ook? Hè, Juul?'

Snel geef ik haar een knikje. Eerlijk gezegd weet ik van niks. Maar ik ben wel erg geïnteresseerd natuurlijk, gezien mijn ambities om zangeres te worden.

'Joh, zelfs Justin Bieber schijnt aan de drugs te zitten! Nou, en dat is toch de *nerd himself*, hè Juul?' Jans kijkt me opgewekt aan. 'Ach, als ze maar lekkere muziek maken, daar gaat het toch om?'

'Jans!' Mijn vader raakt nu echt een beetje verontrust. 'Je kan toch ook muziek maken als je gewoon nuchter bent?'

'Nou, dat weet ik niet hoor, Hubert.' Jans kijkt hem plagend aan. 'De meeste mensen zijn nu eenmaal wat losser als ze een drankje op hebben. En dat helpt toch, zeker als je een beetje podiumvrees hebt.'

Mijn vader slaakt een diepe zucht. 'Wat moet dat kind wel niet denken.' Dan draait hij zich naar mij en zet zijn ik-ben-je-vader-en-ga-je-nu-wat-leren-gezicht op. 'Als je drank nodig hebt om het podium op te durven, kun je beter wat anders gaan doen. En trouwens, het is natuurlijk sowieso heel verstandig om een vak te leren. Blijft een raar wereldje, die muziekbusiness. Ik hoop niet dat jij ambities in die richting hebt, Juul.'

Ik verslik me bijna in mijn erwtjes. Het lijkt wel of ze helderziend zijn hier in huis! Eerst die horoscoop van Jans en nu weer die preek van mijn vader. En dat net op het moment dat ik serieus werk wil gaan maken van mijn zangcarrière! Over zangcarrière gesproken, ik heb YouTube al zeker twee uur niet gecheckt. Hoog tijd om te kijken of mijn filmpje al ontdekt is. Mijn vaders bezwaren moeten maar even wachten.

6

IT'S MY LIFE - Dr. Alban

19.355.351

41.028 1227

'Wát heb je gedaan?' Pim stoot van enthousiasme bijna de foto van mijn moeder van het bureau. Mama is vier jaar geleden overleden. Vlak na haar dood kreeg ik een fotolijstje van mijn vader. Samen zijn we op zoek gegaan naar de mooiste foto die we konden vinden. Zodat mijn moeder van achter het glas nog steeds een beetje bij me is.

'Ik heb een van mijn liedjes op YouTube gezet.' Ik probeer het zo cool mogelijk te brengen, alsof ik elke dag liedjes op YouTube zet.

'Stoer man!' Pim geeft me een keiharde ram op mijn rug. Rechtsboven, midden op mijn schouder. Pims favoriete plek.

'Au!' Ik duik in elkaar, houd mijn rechterhand afwerend in de lucht. Je weet bij Pim nooit of er nog meer klappen volgen.

'Laat eens zien, welk liedje heb je erop gezet? Dat nieuwe van laatst? Dat vond ik echt een goed nummer!'

'Ik zal het je laten zien,' mompel ik. Ik surf naar YouTube en wrijf ondertussen voorzichtig over mijn gemolesteerde schouder.

'Hier, kijk: Jill - *Who do I tell*.'

Ik start het filmpje.

Pim luistert goedkeurend naar de eerste klanken, dan kijkt hij ineens verbaasd.

'Jill? Je heet helemaal geen Jill. Toch?'

'Nee, ik heet geen Jill, bijdehandje, maar ik heb het onder Jill erop gezet. Mijn artiestennaam, zeg maar.'

'O.'

Pim is een schat. Maar ook een onnozele schat. En dat is best lastig. Zeker als je een ongeduldig karakter hebt, zoals ik.

'Ik wilde het gewoon niet onder mijn eigen naam doen. Nog niet,' leg ik hem uit.

'Maar waarom dan niet? Nou weet toch niemand dat jij het bent?'

'Nee Pim, nou weet niemand dat ik het ben. En dat wil ik graag nog even zo houden.'

'O.'

Ik schiet in de lach. 'Ik weet gewoon niet hoe mensen zullen reageren. Stel nou dat ze het niks vinden? Ik wil niet tot mijn tachtigste achtervolgd worden door een filmpje dat ik in een vlaag van verstandsverbijstering online heb gezet, snap je?'

'Nee, ik snap er niks van. Mensen gaan het megacool vinden. Je kan toch supermooi zingen? Je moet gewoon niet zo onzeker doen.'

'Ik bén helemaal niet onzeker, maar wel voorzichtig. Je mag het dus niet verder vertellen. Echt niet, hoor. En verder moet je je er gewoon niet mee bemoeien.'

Het liedje is inmiddels afgelopen en om er verder vanaf te zijn, sluit ik YouTube af. Ik surf naar Facebook en ga op zoek naar de pagina van Beyoncé.

'Kijk,' ik stoot Pim aan, 'Beyoncé heeft nieuwe foto's geplaatst van dat concert dat ze pas heeft gegeven. Wat ziet ze er goed uit, hè.'

'Zie alleen een dikke kont,' bromt Pim.

Oei, Pim is *pissed*. Ik snap het wel. Maar ik wil gewoon niet dat hij zich bemoeit met wat ik wel en niet op YouTube doe. Dat filmpje is van mij en ik zet het online zoals ik dat wil. Punt.

Voorzichtig kijk ik opzij. Pim negeert me. Ik laat hem maar even. Pim kan maximaal drie minuten boos doen. Boos doen is gewoon niet Pims ding.

Ik surf door naar de pagina van de *Boxers*, een nieuwe band die ik sinds kort volg. Ik laat een berichtje achter.

Love your music, go for it Boxers!

Ik laat heel vaak berichtjes achter. Niet bij zangeressen als Shakira en zo, die hebben dat niet nodig. Alleen bij nieuwe bands die nog bekend moeten worden.

'Wie zijn dat? De *Boxers*? Goeie naam!' Achter me stuitert Pim alweer door de kamer. Hij gooit er een paar oerkreten uit, slaat met zijn vuisten een onzichtbare tegenstander tegen de grond, laat zich daarna met een gelukzalige glimlach rond zijn mond op mijn bed vallen.

Drie minuten zei ik toch...

7

HEART ATTACK - Demi Lovato

159.894.231

959.954 34.178

'Berta! Bèèèèrtaaaa!' Ik fiets door de duinen. Berta, mijn hond, verdwijnt naast me de struiken in op jacht naar het zoveelste konijn dat haar te snel af is. Berta is pas vier jaar geworden; ze kwam bij ons vlak nadat mijn moeder was overleden. Onze buurvrouw had net een nestje jonge labradors waarvan er nog eentje over was. Het beestje was een soort misbaksel. Een paar zwarte vlekken lagen als verfklodders op haar witte vacht en haar kopje bestond uit nauwelijks meer dan twee knoeperds van neusgaten. Ik doopte haar Berta. Na school ging ik haar vaak opzoeken, ik vond het zielig dat niemand haar wilde hebben. Op een dag mocht ik haar van de buurvrouw even mee naar huis nemen. Ze vond mij waarschijnlijk ook zielig, zo zonder moeder. Ik heb Berta nooit meer teruggebracht (ik denk dat de buurvrouw ook blij was dat ze er vanaf was).

'Berta, Bèèèèrtaaaa!' Een paar duinpannen verderop zie ik mijn hond nerveus heen en weer rennen, in geen velden of wegen nog een konijn te bekennen.

Ik stap van mijn fiets en blijf even wachten tot Berta me weer komt opzoeken. Ondertussen dwaalt mijn blik af. Ik zie de kalme zee, die glinstert onder de late middagzon, twee kinderen die op het strand aan het voetballen zijn. Dan blijven mijn ogen hangen bij een bankje dat op zo'n dertig meter afstand midden in de duinen staat. Er zitten twee mensen op. Mijn hoofd schiet naar voren, mijn ogen vernauwen zich tot twee kleine streepjes.

Is dat...?

Natuurlijk, ik herken haar direct. Niet alleen aan de knalrode krullen die fel afsteken tegen de strakblauwe lucht. Ook die wijde rok met stroken in de meest wonderlijke kleuren ken ik als geen ander.

Jans.

Ik open mijn mond en wil de vriendin van mijn vader al roepen. Dan ineens klappen mijn kaken zo hard op elkaar dat ik bang ben dat ze het vanaf het bankje kunnen horen.

Naast Jans zit een man. Zijn haren staan een beetje wild alle kanten op en zelfs van een afstandje kan ik zien dat zijn kleren armoedig zijn. Maar dat is niet waar ik van schrik.

Waar ik wel van schrik, is de arm die om de schouders van de man ligt. De arm die de man lijkt te troosten, te beschermen.

De arm van Jans...

Als versteend sta ik te kijken naar het stelletje op de bank. Een niet-kloppend stelletje. Want daar waar mijn vader zou moeten zitten, zit een wildvreemde kerel.

Op het bankje zelf hebben ze niets in de gaten. Jans praat tegen de man, kruipt nog dichter tegen hem aan, begint met haar hand door zijn haar te woelen.

Ik weet me geen raad. Het enige wat ik weet, is dat ik hier weg moet. Maar waar is Berta?

Als een pingpongbal schieten mijn ogen van links naar rechts. Ik vind mijn hond aan de andere kant van het fietspad, ver weg van het tafereel daar op dat bankje. Berta snuffelt nog altijd druk tussen de struiken. Ik wil haar roepen, maar durf niet. Voorzichtig schuifel ik een eindje het zand in. Als Berta me nou maar ziet...

Het is kansloos. Ik ben geen konijn, Berta is niet geïnteresseerd in mij. Zachtjes sluip ik verder, mijn ogen angstvallig op Jans en die man gericht.

Na wat als een eeuwigheid voelt, kan ik Berta in haar nekvel grijpen. Snel maak ik haar aan de riem vast, begin haar richting fietspad te trekken. Als ze nou maar niet gaat blaffen!

Gelukkig, het gaat goed, Berta volgt me braaf. Eenmaal terug bij mijn fiets werp ik nog snel een laatste blik op het stel in de verte. Er is niet veel veranderd. Behalve dan dat die vent zijn hoofd nu op Jans' schouder heeft gelegd. De schouder waar mijn vaders hoofd op hoort te liggen.

Ik kan er niet meer naar kijken. Voorzichtig stap ik op mijn fiets en rijd met Berta naast me aan de riem het fietspad af, de duinen uit.

Ik hang al de hele middag op mijn kamer als ik Jans onder aan de trap hoor roepen: 'Eten!'

Eten... Alsof ik nu kan eten. De gedachte aan Jans daar vanmiddag in de duinen zorgt ervoor dat ik voortaan zonder eten door het leven kan.

Jans zal toch niet bij ons weggaan? Ons in de steek laten?

Ik moet toegeven, mijn vader is nou niet de meest sexy

man op deze aardbol. Dat ziet zelfs een dertienjarige. Maar hij is wél lief. En hij maakt Jans ook best vaak aan het lachen. Een paar weken geleden nog. Jans was de wc aan het schrobben. Het was heel bijzonder. Jans doet namelijk niet aan schrobben. Toen Jans dus aan het schrobben sloeg, moesten we allemaal even kijken. Mijn vader en ik en Berta. We stonden met z'n allen opgepropt in de wc. Jans kreeg er de slappe lach van. En ze moest nog harder lachen toen mijn vader de wc-borstel afpakte, hem onder zijn neus duwde en haar begon toe te zingen. Ik vond het nogal goor, maar Jans kwam niet meer bij. Ze sloeg haar armen om mijn vaders nek en gaf hem wel drie zoenen, midden op zijn mond.

Maar dat was toen.

Ik pak mijn mobiel van mijn bureau, open YouTube, zoek automatisch mijn liedje op. Plotseling schiet ik overeind.

Wat staat daar nou?

Een viewer, ik heb een VIEWER!

En kijk nou, hij heeft me ook geliket!

Wauw, mijn eerste LIKE!

Ik scrol van boven naar beneden en weer terug. Het staat er echt! Eén viewer, één like. Dan ineens valt het kwartje. Ik laat me achterover zakken, een glimlach op mijn lippen. Natuurlijk, Pim, de schat.

8

WHO DO I TELL - Jill

3

3 0

'Hier is het Juul, kijk maar: Fried Huizinga, Zangpedagoog.' Mijn vader wijst naar het bordje dat boven de bel hangt.

'Friet? Wie heet er nou Friet?'

Ik staar naar de krullerige letters op het naamplaatje.

'En wat is een zangpedagoog?'

Nerveus kijk ik mijn vader aan. 'Het klinkt als psycholoog. Dit is niet goed hoor, pap. Kom.' Ik draai me om en begin de straat weer uit te lopen. Vlak na mama's dood moest ik van papa met zo iemand praten 'om mijn verdriet een plekje te geven'. Ik wilde helemaal niks een plekje geven, en al helemaal niet mijn verdriet. Mama was dood en dat was al erg genoeg. Maar mijn vader was niet te vermurwen. Eén keer ben ik gegaan. Ik heb een uur lang mijn lippen stijf op elkaar gehouden. Na afloop zei die man tegen mijn vader dat ik er nog niet aan toe was om te praten, dat ik meer tijd nodig had. Die tijd is nog steeds niet voorbij.

'Juul, kom nou.' Mijn vader staat nog steeds bij de deur te wachten. 'Het ís geen psycholoog, het is een zangpedagoog. Zo noem je iemand die zangles geeft. Echt waar.'

Aarzelend loop ik terug naar mijn vader. 'Dit is geen grap hè, pap? Ik vermoord je hoor, gewoon hier op de stoep.'

'Juul, het is echt geen grap. Kom.'

Mijn vader drukt op de bel, de deur gaat direct open. Wantrouwend zet ik weer een stap achteruit. Die zang-nog-wat stond gewoon achter de deur op ons te wachten! Mijn vader vindt het blijkbaar niet raar. Hij schudt de hand van de man die Fried moet zijn en stelt mij aan hem voor.

'Dit is Juul. Juul van der Akker. Kom meis, geef eens een hand.' Als een klein kind schuifel ik naar voren en ik steek mijn hand uit.

Fried pakt hem direct enthousiast vast en begint zo hard te schudden dat mijn arm bijna uit de kom vliegt. 'Welkom Juliana,' zegt hij op zangerige toon, 'wat énig dat jullie er zijn, kom binnen.'

Weer verstijf ik. Hoe weet die zak patat in hemelsnaam dat ik Juliana heet? Ik ben inderdaad vernoemd naar een of andere verre tante van me. Maar ik heb nooit naar die naam geluisterd. Ik weigerde gewoon. Juul was het en niks anders. Mijn ouders hebben er uiteindelijk maar aan toegegeven.

Na drie trappen steil omhoog komen we in een piepklein kamertje. De fluwelen gordijnen zitten potdicht, er staat een knalroze bank en ook nog een enorme witte vleugel. De ruimte is zo vol dat wij er volgens mij niet meer bij kunnen. Mooi.

Fried denkt er helaas anders over. Hij stapt naar binnen en spreidt zijn armen uit. Zijn vingers raken de donkerrode muren nog net niet aan.

'Zo, nogmaals van harte welkom hier in mijn zangtempel.' Fried kijkt ons stralend aan. Dan duwt hij mijn vader op de roze bank, zet mij in het enige lege hoekje van de kamer, gaat zelf op het krukje voor de vleugel zitten en klapt tweemaal kort in zijn handen. 'Tijd voor wat gymnastiek!'

Even ben ik bang dat we de zweefstand gaan doen, dan neemt Fried een enorme hap lucht, blaast die weer naar buiten en begint als een slang te sissen. 'SSSSSSssss, SSSSSSsssssss.' Belletjes spuug vliegen in het rond. Van schrik zet ik een stap naar achteren en knal tegen de muur. Een van de schilderijtjes waar de wand mee is bezaaid, valt met een klap op de grond. Fried lijkt het allemaal niet te merken. Hij sist tot zijn hoofd de kleur van de muren heeft aangenomen, neemt net voor hij definitief de geest geeft een nieuwe hap adem en begint uitgebreid te puffen. 'Poooooeeeee hèèèèèèè, pooooeeeee hèèèèèèèè.'

Ik probeer Fried niet aan te kijken, bang dat ik mijn lachen niet kan inhouden. In plaats daarvan draai ik mijn hoofd naar mijn vader. Maar ook dat is geen handige zet. Die zit op zijn roze tompouce enorm zijn best te doen om serieus te blijven. Ik zie hoe hij zijn lippen strak op elkaar perst, met zijn vingers probeert hij zijn mondhoeken omlaag te houden. Fried puft ondertussen vrolijk door en uit het gewapper van zijn handen maak ik op dat hij wil dat ik meedoe. Omdat ik geen andere oplossing zie, begin ik zo zachtjes mogelijk mee te puffen. Een half uur later en de meest weerzinwekkende geluiden verder is Fried eindelijk tevreden. 'Zo, uitgeturnd? Dan gaan we zingen!' Frieds stem slaat over van enthousiasme. 'Wil je mij je favoriete liedje laten horen, lieve Juliana?' Hij klapt weer in zijn handen en kijkt me vol verwachting aan. Even twijfel ik. Ik ben blij dat ik eindelijk mag zingen, maar welk nummer zal ik doen? Een liedje van Shakira of Beyoncé lijkt me op de een of andere manier niet erg gepast in deze ruimte. Een eigen nummer dan maar. Ik sluit mijn ogen, probeer te vergeten dat ik in één kamer sta met een op hol geslagen fietspomp, concentreer me op mijn ademhaling en begin te zingen.

It's such a beautiful day
I'm walking down the shore
The sky clear blue, the sea shining bright
I never felt happier before

'Bravo, bravo mijn lieve kind! Qua techniek natuurlijk abominabel, maar verder fantastico! Goed dat je naar Fried gekomen bent. Heel goed.' Fried begint weer enthousiast te klappen. Dan richt hij zich tot mijn vader. 'U moet zich voorstellen, papa van Juliana, uw dochter is als een vogeltje dat net uit haar ei gekropen is. Ze kan nog helemaal niks, is als een weerloos kuikentje. Maar Fried zal zich over haar ontfermen, gaat haar alles leren. Hoe ze moet ademen, hoe ze haar keeltje kan gebruiken, hoe ze nootjes moet lezen. En dan over een paar maanden is dit vogeltje klaar voor de eerste vlucht. Maar niet vóór ze de basis onder de knie heeft, dit nachtegaaltje houd ik voorlopig nog even in haar nestje!'

Terwijl Fried maar door raaskalt over vogels en nestjes en eieren begint hij mijn vader en mij de kamer uit te duwen, de drie steile trappen weer af naar beneden.

'Volgende week zelfde tijd, zelfde plaats?' roept Fried

nog als hij de voordeur opentrekt.

Voor we kunnen antwoorden, staan we al op straat, de deur valt met een klap achter ons dicht.

Even is het stil, heel stil, dan gieren we het allebei uit. Hikkend van de lach haalt mijn vader zijn fiets van het slot en stapt op de trappers. Snel spring ik achterop en sla ik mijn armen om zijn middel.

Als we een paar straten verder zijn en ik weer kan praten, check ik nog even mijn vaders stemming. 'Ik hoef niet terug naar die Friet, hè pap?'

Mijn vader stelt me gerust. 'Je hoeft echt niet terug. Ik zweer het, nachtegaaltje van me.' Hij houdt twee vingers voor zijn mond en spuugt een dikke fluim op de straat. Tevreden knijp ik mijn vader in zijn zij en leg ik mijn hoofd zachtjes op zijn rug.

Als we bijna thuis zijn, vis ik nog even mijn mobiel uit mijn broekzak. Ik surf naar YouTube en zoek mijn liedje op.

Who do I tell - **Jill**
3

Ik kijk nog een keer goed maar het staat er echt. Drie likes! Ik begin weer te lachen. Piet patat kan de pot op!

9

WHATAYA WANT FROM ME
- Adam Lambert

7.052.237

👍 14.059 👎 479

> Hoi, Jill?

Ik houd mijn mobiel boven mijn gezicht terwijl ik languit op de grond in mijn kamer lig, mijn hoofd op Berta's buik. Ik lees het sms'je nog een keer.

> Hoi, Jill?

Jill? Ik schiet overeind. Jill is de naam die ik op YouTube gebruik. En als het goed is, weet niemand dat ik daarachter zit. Of wacht, Pim natuurlijk. Hè, maar het sms'je kómt niet van Pim. De afzender is anoniem. Ik snap er niks van. Ik kijk nog een keer naar het bericht en ook naar de afzender. Misschien toch Pim, die leuk wil doen? Ik laat me weer terugzakken op Berta's buik en stuur het berichtje door naar Pim.

Komt dit van jou? tik ik erachteraan.

Binnen twee tellen licht mijn schermpje op.

> Nee?

Anonieme afzender, leg ik uit, en jij bent de enige die van Jill weet. Jill is top secret! tik ik er voor de zekerheid nog achteraan.

> Geen idee, ken je Duits al?

> Nee. Maar van wie komt dit???? Ben jij het echt niet?

> Nope. Zou maar Duits gaan leren.

Ik ga rechtop zitten en duw Berta, die inmiddels boven op mijn voeten is gaan liggen, van me af. Ik probeer een berichtje terug te sturen naar de anonieme afzender maar dat lukt natuurlijk niet. Het onverbiddelijke 'verzenden mislukt' verschijnt. Dan komt er weer een bericht van Pim binnen.

> Vast een fan.

Ik staar naar het schermpje en zucht. Pim kan af en toe zo dom doen.

Kan niet bijdehandje, stuur ik terug, niemand weet toch dat ik Jill ben!

Terwijl ik op Pims antwoord wacht, zoek ik Berta's buik weer op. Berta is mijn lievelingskussen.

Ping!
Pims antwoord verschijnt in beeld.

> Fans weten alles.

Mmm, misschien heeft Pim wel gelijk. Toch snap ik dan niet hoe die fan ontdekt heeft dat ik degene ben die achter Jill zit. Berta is het ondertussen zat voor kussen te moeten spelen. Ze komt overeind, springt op mijn bed, nestelt zich aan het voeteneind en doet haar ogen dicht. Aso-beest. Wel elke dag een maaltijd verwachten, maar iets terugdoen, ho maar. Ik ga tegen de rand van mijn bed zitten, kriebel Berta zachtjes achter haar oren. Haar staart gaat nog één keer langzaam de lucht in, dan is ze echt naar dromenland vertrokken.

Mijn telefoon trekt mijn aandacht weer.

> Wat is de stand?

Ik moet lachen. Pim weet dat ik om de haverklap YouTube check om te zien of er nog viewers zijn bijgekomen.

> De 100 gepasseerd! Vannacht om 3 uur. Stand vanochtend 105.

Cool, antwoordt Pim, skippen die Jill.
Skip niks, reageer ik snel.

> Waarom niet?

> Daarom niet! Wil wel nieuw filmpje maken. Helpen?

> Zal erover denken, maar niet nu, ga voetballen. Bye!

En Pim is offline. Ik werp een blik op de klok, halfzes. Berta moet eigenlijk uitgelaten worden. Ik kijk naar het gevaarte dat in coma op mijn bed ligt. Berta's buik gaat langzaam op en neer, uit haar neus komt af en toe een pufje. Die is voorlopig niet in voor een plas.

Uit verveling open ik nog maar even mijn mailbox. Ik schiet de lucht in. Een bericht van Jans.

Jans...

Sinds ik haar heb gesnapt op het bankje in de duinen, probeer ik Jans zo veel mogelijk te ontlopen. Ik geloof niet dat ze iets in de gaten heeft. Eén keer heeft ze gevraagd of er iets is. 'Je bent zo stil.' Maar mijn 'heb het gewoon druk' was voldoende voor haar om me met rust te laten.

Ik staar naar de mail. Zou ze me iets willen zeggen? Zou ze haar excuses willen aanbieden? Ik schud mijn hoofd. Natuurlijk niet. Jans weet niet eens dat ik haar heb gezien, die middag daar in de duinen. Jans en die man, samen op dat bankje.

De afgelopen week heb ik uit alle macht geprobeerd de nare beelden uit mijn hoofd te wissen. Het lukt me niet. Elke keer als ik mijn vader samen met Jans zie, krijg ik een weeïg gevoel in mijn buik. Alsof ik iets gegeten heb dat zwaar over de datum is.

Ik kijk weer naar het schermpje, het bericht van Jans staart me aan. Ik kan de verleiding niet weerstaan, open de mail en begin te lezen.

Dag lief steenbokje,

Grrr, ik had het kunnen weten, Jans' wekelijkse horoscoop. Die durft. Ik heb zin om hem gewoon weg te gooien. Het is tenslotte toch allemaal flauwekul. Maar mijn ogen laten zich niet stoppen en vliegen al over de regels.

Dromen zijn er om waar te maken. En jij als steenbok bent zo'n doorzetter, jou gaat het zeker lukken. Heb je hulp nodig? Aarzel niet om die te vragen. Je familie en vrienden staan altijd voor je klaar.
x Jans

Je familie staat altijd voor je klaar... Zít voor je klaar, bedoel je! Op een bankje. Met een wildvreemde kerel! Lekker. Nou Jans, jouw hulp heb ik even niet nodig, hoor. Och, maar je hebt het natuurlijk ook niet over jezelf! Jij bént tenslotte helemaal geen familie! En een vriend ben je natuurlijk ook niet. Nijdig gooi ik het mailtje weg. Ik stop mijn mobiel in mijn broekzak. Kom Berta, wakker worden, we gaan naar buiten!

10

WHO DO I TELL - Jill

105

52 2

Wiiiiioeoeee! Het is kermis en Pim en ik zitten al bijna een uur in de zweefmolen. We hebben een tienrittenkaart gekocht en afgesproken die in één keer op te maken. Wiiiii-oeeeeee!

'Pim, ik denk dat ik nu echt misselijk aan het worden ben. Zullen we er niet heel even uitgaan?' Het bakje komt langzaam tot stilstand, ik probeer de stang die voor mijn buik zit omhoog te duwen.

'Nee joh.' Pim duwt de stalen buis terug in het slot, ik kan mijn vingers nog net op tijd terugtrekken. 'Volgens mij zitten we al op acht, nog twee keer. Je bent toch geen watje.' En we komen alweer in beweging.

'Uuuuhhhh,' kreun ik op mijn zieligst, 'denk dat ik ga kotsen, mag het in je schoot?' Ik laat mijn hoofd op zijn schouder zakken en doe alsof ik over mijn nek ga.

'Ja hoor, prima,' roept Pim. Ons bakje hangt ondertussen alweer dwars in de lucht, de wind maakt dat we alleen nog kunnen gillen naar elkaar. 'Kijk,' schreeuwt Pim in mijn oor en wijst naar beneden. 'Je BFF's!'

Beneden zie ik Anne en Vera samen in de rij voor de suikerspinkraam staan.

'Wat zijn ze in hemelsnaam aan het doen?' gilt Pim naast me. Ik tuur naar de twee meiden onder ons. Anne staat met licht gebogen rug voorop in de rij, Vera staat erachter, haar linkerhand op Annes schouder. Eerst heb ik geen idee waar ze mee bezig zijn, dan valt het kwartje.

'Vera is haar nagels aan het lakken,' roep ik zo koel mogelijk boven het gesuis van de wind uit.

'Vera is wat?' verbaasd kijkt Pim me aan.

'Vera is haar nagels aan het lakken,' roep ik nog een keer terwijl ik mijn uiterste best doe mijn gezicht in de plooi te houden.

'Vera is WAT?' Pim trekt zijn wenkbrauwen zo ver op dat zijn ogen bijna zijn gezicht uit rollen. Hij tuurt nog een keer naar beneden, draait dan zijn hoofd weer naar me toe.

'Ze is haar nagels aan het lakken,' bevestigt hij met een stalen gezicht. Het volgende moment grijpt hij met zijn handen naar zijn hoofd en doet hij alsof hij uit het bakje valt.

De resterende twee ritten zijn in no time voorbij. We hebben allebei de slappe lach, hangen als twee halvegaren scheef in ons bakje.

Vijf minuten later staan we weer op de grond, met pijn in onze buik en een stel benen alsof we weken op zee hebben rondgedobberd. Pim schiet direct op Anne en Vera af, die inmiddels een suikerspin hebben bemachtigd en nu druk in de weer zijn met Vera's telefoon.

'Hé meiden, jullie ook hier? Jullie zien er goed uit hoor, mijn complimenten.'

Anne en Vera kijken Pim aan alsof hij zojuist heeft geprobeerd ze de stelling van Pythagoras uit te leggen, halen hun schouders op en richten zich weer op hun telefoon.

'Heb je dat nieuwe nummer al gehoord?' vraagt Anne aan mij terwijl ze staat te swingen met de telefoon tegen haar oor. 'Vera heeft het ontdekt, echt gaaf. Hier, moet je luisteren,' en ze drukt haar telefoon nu tegen mijn oor.

Terwijl ik in mijn broekzak op zoek ben naar het restant van mijn geld om ook een suikerspin te kunnen kopen, luister ik afwezig naar de klanken die mijn oorschelp binnendringen. Het duurt twee seconden, dan verstijf ik compleet en worden mijn wangen zo rood als ze in mijn hele leven nog nooit zijn geweest. Doodstil sta ik te luisteren. Ik hoor de woorden die ik zelf heb bedacht, de akkoorden die ik zelf heb geschreven, de coupletten die ik zelf heb gezongen. Ik weet me geen raad. Ik probeer uit alle macht mijn op hol geslagen ademhaling onder controle te krijgen, maar mijn borstkast blijft op- en neergaan als een woeste golf in een onstuimige zee. In mijn oor galmt het liedje ondertussen onverminderd door.

But who do I tell
how it smells, how it looks, how it feels
Who do I tell
how wonderful it feels

'Gaat het goed met je?'

Ineens voel ik hoe Pim aan me staat te sjorren. 'Je ziet hartstikke wit, man. Kom, ga eens zitten.' Pim duwt me voorzichtig richting een stoepje en drukt me daar zachtjes naar beneden. Bezorgd komt hij naast me zitten. 'Gaat het, Juul? Zeg eens wat, je ziet eruit of je al weken dood bent. Ben je niet lekker?'

De klanken van mijn liedje klinken nog altijd na in mijn hoofd, maar nu de telefoon bij mijn oor vandaan is, kom ik langzaam tot bedaren.

'Het, eh... het gaat wel,' hoor ik mezelf zeggen met een stem die nog altijd van een ander lijkt te zijn. 'Zal wel door die eh, door die zweefmolen komen, denk ik. Maar het gaat echt weer,' zeg ik tegen Pim. Dan geef ik Anne en Vera die als een stelletje ramptoeristen op twee meter afstand naar me staan te kijken een zo stevig mogelijke glimlach. 'Het is al goed,' zeg ik, '*no worries*.'

'Je hebt in ieder geval weer even de aandacht hè,' bijt Vera me toe.

Ik besluit de opmerking te negeren. Ik kan Vera wel vragen waar die jaloezie vandaan komt, maar ik schat in dat ze het woord niet eens kan spellen en dan zijn we nog verder van huis. Ik sta dan ook op, klop wat onzichtbaar stof van mijn kleding en begin richting de uitgang van de kermis te lopen.

'Kom Pim, ik heb beloofd op tijd thuis te zijn. Ga je mee?'

Twee minuten later zitten we op onze fietsen.

'Wat was dat nou?' vraagt Pim. 'Sinds wanneer ga jij van je stokkie van een paar ritjes in een zweefmolen?'

'Ze stonden naar mijn liedje te luisteren,' antwoord ik met een ongemakkelijke grijns op mijn gezicht. 'En dat kwam wat onverwacht.'

Even is het stil, dan barst Pim in lachen uit. 'Eigen schuld, dikke bult, Juul van der Akker. Moet je maar niet zo stronteigenwijs doen. Maar je bent nog steeds leuk, hoor. Voor een meisje.'

We zijn aangekomen bij de straat waar Pim woont, hij

slaat de hoek om en steekt ten afscheid zijn arm in de lucht. 'Als je maar niet je nagels gaat lakken,' roept hij nog gauw, 'op de kermis...' Ik kan zijn lach nog horen als hij al bijna aan het eind van de volgende straat is.

11

MUSIC IS MY LIFE - Jill

0

0 0

'Zo is het wel genoeg hoor, de hele boel gaat nog in de hens!' Ongerust kijk ik naar Pim die maar takken blijft aanslepen. Ik wil een nieuw liedje op YouTube zetten en Pim helpt me om er een cool filmpje bij te maken. Ik vrees alleen dat straks de complete Zeeuwse duinen in lichterlaaie staan.

Het was overigens nog een heel gedoe om Pim mee te krijgen. Hij eiste dat ik zou stoppen met Jill en de meiden zou laten weten dat ik degene was die achter die liedjes zat.

'Je moet gewoon niet zo verschrikkelijk onzeker doen!' riep hij.

Ik weigerde.

Ten eerste bén ik niet onzeker (heb hem geadviseerd dat niet nog een keer te zeggen). Ten tweede ben ik er gewoon niet klaar voor om mezelf bekend te maken. Al helemaal niet bij die grieten uit mijn klas. Je weet tenslotte nooit hoe die ongeleide projectielen gaan reageren. Nee, ik vind het gewoon prettig om eerst nog wat likes te verzamelen. Zo'n 5000 lijkt me een mooi aantal (aantal likes vanochtend 8.10 uur: 338).

Pim mokte en sputterde. Ik mokte en sputterde terug. We leken mijn opa en oma wel.

Uiteindelijk kapte ik de boel af. Dit was mijn stem, mijn liedje, mijn toekomst. En daar moest níémand zich mee bemoeien. Ook Pim niet.

Mijn maatje was beledigd. Dat merkte ik wel. Maar hij gaf zijn strijd op. Hij zag ook wel in dat hij dit niet ging winnen. En volgens mij had hij ook gewoon zin om een fikkie te stoken.

Daar komt Pim alweer aanlopen, dit keer met een halve boomstam.

'Alles onder controle,' roept hij met een rood hoofd. 'En je wilt toch vuur? Dan maken we vuur!'

Tien minuten later is Pim tevreden. Hij zit trots naast zijn brandstapel en wrijft als een bezetene twee takjes over elkaar (lucifers zijn voor watjes, vindt Pim). Ik lig ondertussen languit naast hem in het zand. Luidkeels repeteer ik nog een keer mijn nieuwe nummer.

Music is my love
Music is my life
What would I be without my music

De verdorde blaadjes naast me beginnen te knetteren, kleine vlammetjes klimmen langzaam omhoog langs de takken.

'Gelukt, gelukt!' Pim begint als een indiaan in het rond te dansen. Dan gaat hij plotseling zitten. 'Het is gelukt,' zegt hij nog een keer, nu zo beheerst mogelijk.

Ik moet lachen. Als een debiel rond een vuurtje dansen is natuurlijk niet heel cool voor een dertienjarige. Maar in zijn hart wil Pim volgens mij ook helemaal geen dertien zijn. Want fikkies stoken, krabben koken en met modder klooien is toch eigenlijk wat Pim het liefst van alles doet.

'Zo, beginnen?' vraag ik hem terwijl ik mijn camera in Pims handen duw.

Mijn maatje springt weer overeind. 'Yep, laten we beginnen.'

Als een professionele cameraploeg gaan we aan de slag. Pim laat me steeds opnieuw mijn liedje zingen, mijn gezicht zo dicht bij de vlammen dat ik een derdegraads verbranding oploop en mijn amandelen voortaan goudbruin geroosterd in mijn keel hangen. Als ook mijn stem het bij *take* 138 voor gezien houdt, is Pim eindelijk tevreden. Uitgeput ga ik in het zand liggen, Pim probeert zijn vuur nog een keer nieuw leven in te blazen.

'Zo, wat een romantiek, broertje,' klinkt het plotseling achter ons.

Ik schrik me rot, draai me met een ruk om. Op nog geen twee meter afstand staat Pims broer Miel grijzend naar ons te kijken.

'Zit je hier een beetje te flikflooien, broertje? Vindt mama dat wel goed?'

Heel even meen ik een vals lachje te ontdekken op Miels gezicht, maar Pim lijkt het niet op te merken.

'Hé man, wat moet jij nou hier?' vraagt hij verbaasd.

'O, niks, kwam toevallig langslopen. En toen zag ik jullie ineens.'

'Toevallig langslopen.' Pim begint te lachen. 'Jij en toevallig langslopen. Helemaal hierheen? Man, je bent nog te lui om naar de wc te lopen. Heb ik dat wel eens verteld, Juul? Meneer heeft een colafles naast zijn bed staan. Hoeft hij 's nachts zijn nest niet uit om te pissen. Toevallig langslopen...' Pim schudt meewarig zijn hoofd.

Miel lijkt het allemaal niet uit te maken. Hij is inmiddels naast me komen zitten en kijkt me belangstellend aan.

'Zo, nog een beetje aan het zingen? Ik heb je gemist op de fiets, had me nog zo verheugd op een privéconcert.'

Ik begin weer schaapachtig te lachen (natuurlijk), wrijf met mijn handen over mijn wangen die nog altijd aan het nagaren zijn.

'Je moet eens een keer bij me langskomen,' gaat Miel verder, 'ik heb heel gave muziek op mijn pc staan. Ook van minder bekende bands. Vind je misschien wel leuk om te horen.'

Vanuit mijn ooghoeken zie ik hoe Pim plotseling als een rusteloos paard heen en weer begint te drentelen.

'Moeten we niet eens gaan, Juul? Jij moest toch naar gitaarles? Het is al bijna vier uur.'

Ik ben Pim dankbaar. En toch ook weer niet. Mijn lichaam reageert in ieder geval braaf, ik begin netjes alle spullen te verzamelen.

Miel negeert ondertussen zijn broer en kletst vrolijk verder. 'Vind je het leuk om een keer af te spreken? Woensdag misschien, dan heb ik nog niks.'

'Woensdag?' Glazig kijk ik Miel aan. Alsof 'woensdag' een of ander nieuw exotisch gerecht is en ik betwijfel of ik dat wel lekker ga vinden.

'Woensdag kan je niet Juul, dan hebben we met onze werkgroep voor bio afgesproken.'

Pim lijkt ineens enorme behoefte te hebben om weg te komen. Hij stampt de laatste vlammen uit, stopt de camera in mijn rugzak, en duwt die in mijn handen. Zijn haastige bewegingen brengen me op de een of andere manier weer bij mijn positieven.

'Andere keer maar, Miel. Woensdag lukt inderdaad niet. En nu moet ik gaan,' mompel ik er nog achteraan. Samen met Pim loop ik de duinpan uit.

Maar Miel laat zich niet zomaar afpoeieren. Hij hobbelt doodleuk achter ons aan, zijn fiets blijkt naast de onze te staan. Met zijn drieën rijden we terug naar huis. Miel naast mij, Pim er vlak achteraan.

Onderweg is het zowaar gezellig. Ik slaag erin niet al te veel onzin uit te kramen en weet halverwege zelfs een grapje te produceren. Aan het eind van het duinpad zegt Miel ons gedag.

'Doei Juul, zie je wel weer. Kom je een keer langs als je zin hebt?'

'Goed hoor,' roep ik alsof ik wekelijks bij jongens op hun kamer afspreek. Dan trappen Pim en ik samen verder.

'Zou maar een beetje uitkijken met Miel,' bromt Pim, die weer naast me is komen fietsen.

'Hoezo?' vraag ik zogenaamd verbaasd. 'Miel is toch zo leuk? En zo grappig? En zo slim?'

Pim kijkt me niet aan, mompelt wat onverstaanbaars terug.

'Je bent toch niet jaloers, hè?' vraag ik met een grijns op mijn gezicht. 'Dat hoeft niet hoor,' zeg ik er sussend achteraan. 'Kom ik toch ook een keer bij jou muziek luisteren, goed?'

'Ga liever surfen,' moppert Pim nog wat verder. Maar dan klaart zijn gezicht op als een donkere lucht na een tropische regenbui. 'Kan je morgen?'

'Morgen is prima. Of we hebben we dan werkgroep bio...?'

12

DREAMER - Supertramp

855.861

1751 45

'Au!' Met een van pijn vertrokken gezicht en mijn handen over mijn oren zit ik voor de tv. Het is vrijdagavond en samen met mijn vader en Jans kijk ik naar een talentenjacht. Tot voor kort mijn favoriete moment van de week. Met zijn drieën zaten we altijd als een klont kikkerdril op de bank, onze voeten in elkaar geschoven. Heerlijk vond ik dat, al konden we ook niet anders. De bank is namelijk ook Berta's hondenmand en zij neemt minimaal de helft ervan in beslag.

Vanavond zit ik op de grond, mijn rug tegen mijn vaders benen. Ik voel hoe Jans af en toe naar me kijkt, er iets van zeggen doet ze niet.

'Vals, vals,' moppert mijn vader, 'die mond moet dicht getapet worden. Straks klappen mijn trommelvliezen nog.' Hij duwt Berta opzij (die laat zich niet opzij duwen, maar je kunt het altijd proberen), staat op en loopt naar de koelkast. Jans kroelt door mijn haar. Snel kom ik overeind en loop mijn vader achterna. Ik heb geen zin in Jans' geslijm. Hoewel ik haar niet meer heb kunnen betrappen op ontmoetingen met mannen die niet mijn vader zijn, vertrouw ik haar nog steeds niet. En natuurlijk zou ik haar gewoon moeten vragen hoe het nou precies zit met die kerel op dat bankje, maar tot nu toe lukt me dat niet. Ik ben veel te bang om te horen dat wat ik gezien heb, de waarheid is.

Als we ons weer op de bank hebben geïnstalleerd, mijn vader nu veilig in het midden, gaan we al snel weer op in ons programma. Overal en nergens hebben we commentaar op.

'Uhhh, dat kapsel. Kan iemand d'r vingers uit het stopcontact halen!'

'Wat een gekrijs... als dat mijn stembanden waren, zou ik ze terugsturen.'

Mijn vader doet ondertussen ook nog pogingen om de krant te lezen. Maar als ik hem voor de tiende keer in zijn maag heb gestompt, legt hij die zuchtend weg.

'Heeft dat kind geen ouders, bij de kinderbescherming werken ze zeker niet op vrijdagavond.'

Verbolgen geef ik mijn vader opnieuw een por. 'Dat meisje kan onwijs mooi zingen! Waarom mag ze niet optreden? Als ze dat toch graag wil!'

'Dat meisje zit nog in de luiers! Ik vind het belachelijk Juul, echt waar. Ik zou ervoor pleiten dat je minimaal achttien moet zijn. Voor die tijd mag je tenslotte ook geen alcohol drinken.' Jans en ik schieten allebei in de lach. 'Straks moet je je rijbewijs nog hebben om te mogen zingen!' roep ik verontwaardigd.

'Tjongejonge Huub, ouwe sok van me.' Jans geeft mijn

vader een tikje op zijn kale hoofd. 'Het is maar goed dat ik hier in huis gekomen ben hè, Juul, dan kan ik die vader van je een beetje in de gaten houden.'

'Ik blijf het gewoon ongezond vinden, al die aandacht.' Mijn vader schudt zijn hoofd, wurmt zich tussen ons uit en gaat aan de tafel achter ons zitten.

'Spijt als haren op mijn hoofd,' bromt hij terwijl zijn ogen zowat zijn hoofd uit glimmen, 'heb niks meer te vertellen sinds jij hier bent komen wonen.'

Terwijl mijn vader zijn vriendin een te lief kusje toewerpt, ben ik ongemerkt toch in Jans' armen beland. Zodra ik het in de gaten krijg, verstijf ik. Het duurt maar even. Hoewel mijn hersenen uit alle macht tegenspartelen, kan mijn hart ineens geen weerstand meer bieden. Ik geniet van Jans' warmte, van het zachte plekje onder haar oksel waar mijn schouder precies inpast.

Pffff.

Jans is en blijft het liefste mens op aarde. En het beste wat mijn vader ooit is overkomen. Na mijn moeder dan, natuurlijk.

Ik voel hoe Jans me nog wat dichter tegen zich aan trekt, een zoen belandt op mijn voorhoofd. Ik delete de spookgedachten die de laatste weken door mijn hoofd razen en geef me over. Eventjes maar…

Ping! Het schermpje van mijn mobiel licht op.

Oké. Klaar. Ik worstel me onder de arm van Jans uit en graai mijn mobiel van tafel.

Waarom geen Juul, Jill?

Mijn keel knijpt zich samen als een boterhamzakje dat vacuüm getrokken wordt.

Waarom geen Juul, Jill…

Gatver, wie stuurt toch die sms'jes? Ik kijk naar de afzender. Anoniem. Natuurlijk.

Ik stuur het bericht door naar Pim. Hij zegt wel dat hij niks met die sms'jes te maken heeft, maar deze lijkt toch echt van hem te komen. Hij vindt het tenslotte maar idioot dat ik mijn eigen naam niet gebruik.

Heb er weer een. Ben jij toch?

Pim reageert direct.

Neeeeeee!

Mmm, Pim heeft gelijk. Hij heeft al eerder gezegd dat die berichtjes niet van hem komen. Dan moet ik niet blijven zeuren. Maar van wie komen die dingen dan? De meiden uit mijn klas? Vera of Anne misschien?

Plotseling hoor ik mijn vader achter me.

'Weet je wat het is? Het is gewoon een enge wereld, die showbusiness. Je moet wel verdomd stevig in je schoenen staan om je daarin staande te kunnen houden. En stel nou hè, die kans is natuurlijk verwaarloosbaar, maar stél nou dat zo'n kind het echt gaat maken. Je gelooft toch zeker niet dat ze daar gelukkig van wordt? Zo'n meisje hoort gewoon niet thuis in vage kroegen en foute achterafzaaltjes waar vieze kerels aan haar lippen hangen.'

Mijn vader slaat met een zucht zijn krant dicht. 'Ach, laat ook maar. Jullie willen toch niks aannemen van deze hoogbejaarde grijsaard met zijn eeuwenlange en onbetaalbare levenservaring. Laat mij maar kletsen. Nog wat drinken, *ladies*?'

Ik staar naar mijn mobiel, scrol heen en weer tussen mijn berichten. Misschien heeft mijn vader wel gelijk en is beroemd worden helemaal niet zo mega-cool als het lijkt. Al zou ik best één keertje in zo'n achterafzaaltje...

'Juul, wil je nou nog wat drinken?' hoor ik mijn vader vanuit de keuken roepen.

'Nee hoor, dank je, ik ga maar eens naar bed.' Ik verwijder het bericht, geef Jans een high five, mijn vader een knuffel en loop als een duizend-in-een-dozijn-meisje-dat-toevallig-een-aardige-stem-heeft de trap op.

13

MUSIC IS MY LIFE - Jill

38

👍 20 👎 0

'Kijk, dat is toch onze vuurtoren? Ik weet het zeker!' Ik herken de hysterische stem van Vera uit duizenden als ik maandagmorgen de fietsenstalling uit kom lopen. Ik probeer eerst mijn nieuwsgierigheid te bedwingen. Dan besluit ik dat het toch belangrijk is betrokken te blijven bij het wel en wee van mijn dierbare klasgenoten en loop zo ongeïnteresseerd mogelijk op ze af.

'Kijk dan, dat kan niet missen toch, dat is écht onze toren.' Vera staat op het punt een hartaanval te krijgen, vier gestijltangde hoofden hangen boven Anne's mobieltje.

'Je hebt gelijk,' beaamt die, 'scherp, heel scherp.'

Nu Anne haar goedkeuring heeft uitgesproken, stijgt de opwinding naar een nieuw hoogtepunt. De meiden beginnen allemaal door elkaar te gillen, de mobiel van Anne gaat van hand tot hand. Omdat ik nu toch echt wil weten waar we deze massahysterie aan te danken hebben, ruk ik het ding behendig uit de grijpgrage vingertjes (je moet er tenslotte ook voor zorgen dat zo'n mobiel niet op de grond klettert, die meiden zijn zó lomp). Met de buit in mijn handen zet ik een paar stappen achteruit om het onderwerp van alle heisa rustig te kunnen bekijken.

Ik heb direct spijt. Enorme spijt. Spijt zoals ik nog nooit spijt gehad heb. Want wat ik zie, is iets wat ik helemaal niet wil zien. Tenminste, niet op Anne's mobiel. En ook niet in het bijzijn van vier permanent in extase verkerende klasgenoten die van elke mug een nijlpaard maken. Ik duw Anne's telefoon terug in de gemanicuurde handjes, zet mijn nonchalantste blik op en probeer me uit de voeten te maken.

Vera laat zich zo gauw echter niet aan de kant zetten. 'Heb je het gezien Juul, die nieuwe opname van Jill is hier vlakbij gemaakt. De vuurtoren staat erop! Dan zal ze zelf toch ook wel in de buurt wonen, toch? Maar ach, wat dom. Dat interesseert jou natuurlijk niet, jij bent te druk met je eigen muziek.'

Voordat ik kan reageren, draait Vera zich alweer terug naar haar vriendinnen. 'Als we nou weten waar ze woont, kunnen we een handtekening vragen. Die Jill gaat het helemaal maken, ik weet het zeker. En dan hebben wíj haar ontdekt.'

Vera is me alweer vergeten, ik besluit hetzelfde met haar te doen. Want dankzij haar ultrakorte concentratieboog kan ik ertussenuit knijpen. Zesenhalve minuut vóór de bel gaat, loop ik het schoolgebouw binnen. Niet heel cool natuurlijk, maar oké, deze ochtend zijn er verzachtende omstandigheden.

'Hé Juul, goedemorgen.'

Ik kreun. Miel.

De onrust in mijn hoofd is al erg genoeg, Pims broer kan ik er even niet bij hebben.

'Je bent niet meer langs geweest, hè? Geeft niet hoor. Heb het zelf ook bizar druk gehad. Je kent dat wel hè, alles tegelijk...'

Terwijl ik verwoede pogingen doe mijn jas in mijn overvolle kluisje te proppen, hangt Miel over het deurtje heen. Het is maandagochtend halfnegen en ik voel een lichte druk achter mijn rechteroog opkomen. Zo'n zeurend en kloppend gevoel waarvan je weet dat als het er eenmaal zit, het de rest van de dag niet meer zal verdwijnen. Ik slaak een diepe zucht, trek lukraak wat boeken uit mijn kluisje, duw nog een keer mijn jas naar binnen en smijt het deurtje dicht. Ondertussen mompel ik ook iets over drukke tijden en volle agenda's. Miel kijkt me begrijpend aan.

'Dat kan ik me voorstellen als je zo bezig bent met je carrière.'

Ik krijg nog een knipoog en dan is Miel verdwenen. Verdwaasd blijf ik achter. Carrière? Wat weet Miel van mijn carrière? Het snijdende geluid van de schoolbel zorgt ervoor dat mijn beginnende koppijn zich van mijn rechteroog richting linkervoorhoofd uitbreidt. Moedeloos slof ik naar het klaslokaal.

Ik zit nog geen twee tellen achter mijn tafeltje of Pim duikt op.

'Zo, jij ziet er goed uit, alles kits?'

Ik negeer zijn vraag en kijk hem chagrijnig aan. 'Kwam je broer net tegen bij de kluisjes. Hij begon over mijn carrière. Enig idee waar hij het over heeft?'

Een glazige blik verschijnt op Pims gezicht.

'Hij denkt dat ik het druk heb met mijn carrière,' ga ik verder. 'Waarom zegt hij dat? Weet jij wel zeker dat je hem niks over mijn opnamen hebt verteld? Ik kom er maar niet achter wie die sms'jes stuurt. Jij bent het niet, zeg je. Toen dacht ik dat het Anne en Vera waren,' fluister ik nu met een schuin oog op de meiden achter in de klas. 'Maar misschien is het Miel wel. Laatst dook hij ook al op in de duinen. Dat is wel een beetje raar, vind je niet?'

'Miel weet helemaal niks, tenminste niet van mij.' Pim kijkt me verbolgen aan. 'En ik ben eerlijk gezegd dat gezeur over die opnamen een beetje zat. Eerst beschuldig je me ervan dat ik die berichten stuur. Nu heb ik weer dingen tegen Miel gezegd. Ik ben er klaar mee, Juul.'

'Ja lekker,' brom ik terug, 'maar ík ben er niet klaar mee. Ik krijg sms'jes van een of andere *creep*. En dat moet stoppen.'

'Weet je waar je mee moet stoppen?' sist Pim terug. 'Met Jill moet je stoppen. Dan stoppen die sms'jes ook.'

'Ik kán er niet mee stoppen, wíl er niet mee stoppen, Pim. Maar dat begrijp jij gewoon niet.'

Even is het helemaal stil. Dan gooit Pim zijn tas op de grond en gaat met zijn rug naar me toe boven op zijn tafel zitten. Een nieuwe zucht ontsnapt uit mijn mond. De zoveelste deze ochtend.

Ineens vind ik het genoeg. Ik prop mijn spullen terug in mijn tas, loop naar de lerares toe, die net het lokaal binnenkomt en vertel haar dat ik knallende koppijn heb. Ze kijkt me bezorgd aan, vindt het verstandig dat ik naar huis ga. *Lucky me*.

Tien minuten later duw ik het tuinhek open en loop ik het pad naar ons huis op. Het voelt raar. Eén keer eerder heb ik gespijbeld. Het was vlak na mijn moeders overlijden. Mijn vader was nog niet aan het werk, hij stelde geen vragen toen ik plotseling opdook. Volgens mij vond hij het wel fijn dat ik hem gezelschap kwam houden. De hele dag zijn we de deur niet uit geweest. Samen hebben we alle foto's van mama bij elkaar gezocht en er een grote collage van gemaakt. Het was net of we weer even met zijn drietjes waren.

Ik steek de sleutel in het slot en duw de voordeur open. Mijn vader is vanochtend al vroeg de deur uitgegaan, dit keer zal het Jans zijn die thuis is.

'Jans!'

Mijn stem maakt ongepast veel herrie in het stille huis.

'Jans!' roep ik nog een keer.

Geen reactie. Ik loop de trap op, duw de deur van de slaapkamer open en gluur voorzichtig naar binnen. De gordijnen zijn nog dicht, maar het bed van mijn vader en Jans is leeg. Even ben ik blij dat ze niet thuis is, hoef ik ook geen verantwoording af te leggen. Dan begin ik me af te vragen waar ze eigenlijk uithangt. Normaal slaapt ze uit, is ze voor tienen niet aanspreekbaar. En als Jans al wakker is, dan zit ze meestal in haar pyjama op de grond, haar tarotkaarten voor zich uitgespreid. Voor Jans zijn die kaarten heel belangrijk.

'De Tarot helpt me als ik een beslissing moet nemen, Juul, als ik even niet weet wat ik het beste kan doen. Weet je nog dat je vader mij vroeg of ik bij jullie wilde komen wonen? Toen heb ik ook een kaart getrokken en die heeft mij geholpen de juiste keuze te maken.'

Ik vind het maar *scary* allemaal. Jans zegt nog vaak dat het de beste beslissing van haar leven is geweest. Maar wat als ze een andere kaart had getrokken? Ik hou het liever bij kwartetten.

Vanochtend is ze in ieder geval niet thuis. Blijkbaar heeft ze belangrijkere dingen te doen. Ik trek de deur van de slaapkamer achter me dicht en loop langzaam de trap weer af. Een naar gevoel overvalt me. Een gevoel dat al wekenlang elke keer weer opduikt. Als een muggenbult die je per ongeluk aanraakt en dan weer vreselijk begint te jeuken.

14

I KNEW YOU WERE TROUBLE
- Taylor Swift

153.059.324

830.625 76654

'Zullen we hier even gaan zitten, Juul, dit lijkt me een mooi plekje.'

Ik loop samen met mijn vader door de duinen, hij wil een foto maken van een of ander bijzonder vogeltje. Het is nog midden in de nacht, geen mens op straat, geen beest in de struiken. Maar papa is vol goede moed. Hij loopt erbij als een kieviet met ADHD.

Gisteravond leek het me nog wel vet, zo in het donker op stap.

'We vinden ze alleen als we écht vroeg zijn, Juul. Vier uur staan we op, dan maken we een kans.'

Nu is er weinig vets meer aan. Mijn ogen doen een wedstrijdje wie-valt-het-eerste-dicht en mijn hoofd, dat normaal op dit tijdstip nog op zijn kussen ligt, staat door de verwarring in een rare knik op mijn nek.

We nestelen ons in het zand achter een stekelig bosje, en mijn vader schroeft de thermoskan met koffie open. Ik lust helemaal geen koffie, maar daar heeft mijn vader natuurlijk niet aan gedacht. Papa is niet zo'n denker. Tenminste, niet als het om praktische zaken gaat. Hij kan me gerust op de wc van een pompstation achterlaten en er pas uren later achter komen dat hij alleen in de auto zit. Maar ach, hoe belangrijk is dat.

'Hier lieverd, lekker warm.' Mijn vader duwt me een plastic bekertje in mijn handen.

Ik pak het aan met links, met rechts knijp ik mijn neusgaten dicht. Het werkt. De drab in mijn bekertje beperkt zich zo inderdaad tot 'lekker warm'.

Ondertussen zitten we al een half uur te blauwbekken in het zand, geen vogeltje te bekennen. Dat kan komen doordat het beestje nog lekker op één oor ligt (geef hem eens ongelijk) maar het kan ook zijn dat we hem gewoon niet zien. Het is inmiddels vijf uur, maar nog altijd stikdonker. Mijn vader maakt het allemaal niet uit. Die zit erbij alsof hij thuis voor de openhaard zit met een borrel.

Om de tijd te doden, vis ik mijn mobiel uit mijn broekzak. Ik check mijn mail en stuur Pim een paar berichtjes. De eerste met sorry, die daarna met vooral onzin in de hoop dat hij wakker wordt van het gebliep naast zijn hoofd. Zijn wij in ieder geval niet de enigen en die op dit onzalige tijdstip rechtop zitten.

Als Pim niet reageert, surf ik naar YouTube en zoek ik mijn liedjes op. Mijn eerste nummer, *Who do I tell*, doet het goed, ik heb nu 2338 likes. En ook *My music* wordt steeds populairder.

'Daar komt wat Juul, hoor je?'

Voor ons ritselt er iets in de struiken. Om mijn vader een plezier te doen, begin ik enthousiast mee te luisteren. Ik hou het een hele minuut vol, dan wordt het weer stil in het struikgewas en kan ik zonder onbehoorlijk te zijn terugkeren naar mijn mobiel. Ik scroll door de berichtjes die mijn fans op YouTube hebben achtergelaten. Het steeds weer opnieuw lezen van al hun opmerkingen is inmiddels mijn favoriete tijdverdrijf.

'Wat een talent, ga zo door Jill.'

'Heerlijk nummer, wanneer komt je album uit?'

'Waar is die stoere Juul nou, Jill?'

Slik.
Ik lees het nog een keer.
Waar is die stoere Juul nou...
Even hoop ik dat ik in slaap gevallen ben en dit een nachtmerrie is. Maar ik ben toch echt wakker. Klaarwakker.

Plotseling voel ik hoe papa naast me rechtop gaat zitten.

'Kijk, daar komt er echt een!' Mijn vader knijpt me zo hard dat als ik bij de kinderbescherming zou werken, ik er vragen over zou stellen.

Ik laat de onheilspellende boodschap op YouTube even voor wat die is en stuur mijn ogen richting de struiken. Daar lijkt inderdaad iets te bewegen in het eerste ochtendlicht. Heel veel zie ik echter nog steeds niet. Het zou een muis kunnen zijn of een rat of, erger, een slang. Maar volgens mijn vader is het zijn vogeltje. Gelukkig. Zitten we hier niet voor niks.

Mijn vader begint foto's te schieten. Wel vijfhonderd. Van één vogeltje. Alsof het 't laatste op aarde is. Ik blijf zo stil mogelijk zitten. En terwijl mijn vader alleen maar oog heeft voor zijn beestje, schieten in mijn hoofd andere beelden voorbij.

Waar is die stoere Juul nou…

Ik kijk naar de afzender. Ene xxxFan heeft het bericht geplaatst. Mmm, moet toch weer aan Anne en Vera denken. Wel wat voor hen om zo'n naam te verzinnen. Kusje, kusje, kusje… jak.

'Zo,' naast me laat mijn vader zijn fototoestel zakken. 'Hebbes. Mooi beestje hè, ik had niks te veel gezegd, toch?'

'Nou.' Ik knik instemmend. 'Blij dat we zo vroeg zijn opgestaan, echt de moeite waard.' Mijn vader kijkt me onderzoekend aan. Even is het stil, dan schiet hij in de lach en begint me te knuffelen. Ik knuffel terug. En ik geniet. Want dat beest zal me een worst wezen en dat bericht op YouTube is klote, maar ik ben serieus blij dat ik hier om vijf uur 's ochtends in het zand zit met de liefste vader van de hele wereld.

'Pap…'

'Zeg het eens, schat.'

'Ik word gestalkt.'

Mijn vader kijkt me aan alsof ik Russisch praat.

'Ik word gestalkt, lastiggevallen, op mijn telefoon. En ook op YouTube.'

Ik heb geen idee waarom ik dit er uitflap. Het is in ieder geval een slecht idee. Een héél slecht idee.

'Gestálkt? Jij?'

Ik knik langzaam, kan mezelf ondertussen wel voor mijn kop slaan.

'Wie doet dat dan? En hoezo?'

Ik roep mezelf tot de orde. Mezelf iets aandoen, kan altijd nog. Nu is het zaak me te concentreren op een manier om mijn vader uit te leggen hoe het zit. Want dat moet nu in ieder geval zo voorzichtig mogelijk gebeuren. Ik wil tenslotte niet dat hij al te veel vragen gaat stellen.

'Ik heb twee liedjes op YouTube gezet. Niet onder mijn eigen naam, maar onder een soort van artiestennaam. Dat leek me verstandiger. Zo kon ik rustig uitproberen of mensen mijn liedjes leuk vonden.'

Mijn vader lijkt nog altijd Russisch te horen. Ik ga toch maar door.

'En ze vinden ze leuk. Heel leuk. Ik heb al heel veel viewers. Dat zijn mensen die mijn liedjes geluisterd hebben. En die liken ze dan weer. Nou ja, maakt ook niet uit. Maar nu is iemand erachter gekomen dat ík degene ben die achter Jill zit. Zo had ik mezelf genoemd. Jill. En nu stuurt die iemand me berichtjes. Onder een valse naam. Dus ik weet niet van wie ze komen. Ik denk misschien die rare meiden uit mijn klas. Maar zo slim zijn die eigenlijk niet. Zeker weten doe ik dat dus niet. Want hoe kunnen zij nou weten dat ik Jill ben? Ik heb het aan niemand verteld. Behalve aan Pim dan. Maar die zweert dat hij het niet verder heeft verteld. En nu wordt het een beetje vervelend.'

Ik neem een flinke hap adem (dat was hard nodig) en kijk voorzichtig naar mijn vader. Die staart me met open mond aan.

'Ik, eh, heb je...' Hij snapt er duidelijk niks van, terwijl ik het toch best heel logisch heb uitgelegd. Even wil ik opnieuw beginnen. Dan steekt hij zijn hand in de lucht en gaat er eens goed voor zitten.

'Wat voor liedjes zijn dat dan? En hoe weet je dat mensen ze leuk vinden? En hoe vaak krijg je die berichtjes? En waarom zeg je niet dat hij ermee moet stoppen?'

Ik probeer het mijn vader nog één keer zo goed mogelijk uit te leggen. Maar dat valt nog niet mee als je te maken hebt met iemand die denkt dat YouTube een nieuw merk autobanden is.

We zijn een half uur verder als hij eindelijk genoeg heeft gehoord. Hij kijkt me streng aan en zegt dan langzaam en gewichtig: 'Je moet stoppen met die onzin, Juul. Dan stopt dat stalken ook.'

Tja, als je de dingen in het leven simpel wil houden, dan moet je bij mijn vader zijn.

15

WHO DO I TELL – Jill

4352

3258 4

Ik zit achter de pc in de woonkamer. Uit mijn eigen laptop stijgt sinds kort rook op en omdat mijn vader geen betere oplossing weet dan wapperen, moet ik mijn huiswerk nu beneden maken. Ik ben al een uur bezig met mijn Franse woordjes, maar wat ik ook probeer, mijn hoofd weigert toegang. Ik snap het wel, het is afgeladen vol daarboven. Er zijn twee dagen verstreken sinds ik met mijn vader op pad ben geweest en ik kan maar niet beslissen wat te doen. Stoppen met YouTube of doorgaan.

Stoppen.

Doorgaan.

Stoppen.

Doorgaan.

Gek word ik ervan. Ik wil niet opgeven, heb die 5000 likes nog niet bereikt (stand *Who do I tell* vijf minuten geleden:

3258). Maar verdergaan voelt ook niet goed. Om meerdere redenen. Ten eerste lijken mijn klasgenoten vastbesloten om uit te vinden waar Jill woont. En uit ervaring weet ik dat als die meiden iets willen weten, ze zich erin vastbijten als een roedel pitbulls. Daarnaast blijven de boodschappen van mijn stalker binnenkomen. En wat ik ook probeer, ik kom er maar niet achter wie die lafaard van een xxxFan is. Maar het ergste van alles vind ik dat Pim me negeert. Sinds ik hem er min of meer van heb beschuldigd dat hij Miel over mijn opnamen heeft verteld, wil hij niet meer afspreken en doet hij alsof hij enorm druk is. Terwijl ik hem gister wel met zijn surfplank voorbij zag fietsen!

Overigens maakt dat me nog niet eens zo veel uit. Maar wat ik echt niet kan hebben, is dat hij samen met Jorg fietste. Jorg de o-wat-ben-ik-cool-kijk-mij-eens-met-mijn-wrede-broek-en-mijn-lauwe-tas-en-mijn-stoere-haar-en-mijn-grote-mensen-woorden. Die Jorg. En daar surft Pim dus liever mee dan met mij.

Plotseling weet ik wat me te doen staat. Ik ga naar YouTube, log in en begin te tikken:

> Hé fans,
> Zaterdag om 15.00 ben ik op het schoolplein van het Wellant College
> Komen jullie ook?
> Tot dan, Jill

Ik lees mijn bericht 38 keer door, gooi het 16 keer weg, begin even zo vaak weer opnieuw, verzin 11 keer een nieuwe aanhef, 8 keer een nieuw tijdstip en 22 keer een nieuwe locatie. Dan lees ik mijn boodschap nog eenmaal van begin tot eind hardop voor en druk op verzenden.

Uitgeput laat ik me achterover in mijn stoel zakken. Maar het voelt goed. Moe maar voldaan noemen ze dat, geloof ik.

Terwijl ik nog wat zit na te puffen, valt mijn oog op een boekje dat vlak voor mijn neus op het bureau ligt. Ik herken het direct, het is de agenda van Jans. Mijn blik blijft hangen, ik denk na over wat ik precies zie. De agenda van Jans. Met alle afspraken van Jans. Met alle vrienden van Jans.

Mijn hand strekt zich langzaam uit, blijft hangen boven de paars met groen met geel met oranje kaft. Jans' lievelingskleuren. Ik trek mijn hand terug. Weer blijf ik een tijdje kijken, vraag me af wat dit nu eigenlijk betekent. Voor me ligt een agenda. De agenda van Jans. Je zou zo'n ding privé kunnen houden, hem kunnen neerleggen op een plaats waar niemand hem tegenkomt. Maar dat is hier niet het geval. De agenda van Jans ligt open en bloot. Op een plek waar iedereen bij kan. Ik kijk weer, ik wik en ik weeg. Plotseling moet ik denken aan de horoscoop van Jans die gister in mijn mailbox zat. Hoewel ik er nauwelijks aandacht aan heb besteed, plopt die nu ineens op in mijn hoofd, als popcorn in de magnetron.

Dag lief steenbokje,
Het leven is niet altijd makkelijk. Soms kunnen er dingen gebeuren die je enorm dwars zitten. Blijf daar niet mee rondlopen. De oplossing ligt vaak dichterbij dan je verwacht.
X Jans

Dank je wel Jans, dat had ik net even nodig. Ik gris de agenda van het bureau en begin te bladeren. Ik zie afspraken met de dokter, de tandarts, de tarot-juf. Ik zie daghoroscopen, weekhoroscopen en maandhoroscopen. Hier en daar heeft Jans er wat bijgeschreven. Soms een opmerking als 'onthouden!' of 'belangrijk!' Soms heeft ze er ook een naam bijgezet. 'Voor Huub'. 'Voor Juul'. En verder zie ik ook een hoop lijstjes. Boodschappenlijstjes, verjaardagenlijstjes en alles-wat-ik-niet-moet-vergetenlijstjes. Maar dat waarnaar ik op zoek ben, dat zie ik niet. Ik blader nog een keer heen en ook nog een keer terug. Het levert niets op. Of... plotseling valt mijn oog toch weer op een lijstje. Het is er eentje met wachtwoorden. Ik zie wel tien verschillende codes, erachter staat steeds waar ze voor bedoeld zijn. De bank, de kluis, de mail, de telefoon...

De mail.

Jans heeft haar mail beveiligd met een code. En die code is JANS1907.

Ik kijk naar de combinatie van cijfers en letters. Ik kijk zo lang dat ze voor mijn ogen beginnen te dansen. Ik doe ze dicht en weer open. JANS1907. Mail.

Mijn hand schuift richting de muis die naast het toetsenbord ligt. Langzaam pak ik hem vast en met mijn ogen strak op de pc gericht, stuurt mijn hand het pijltje op het beeldscherm naar de mailbox van Jans. Ik klik. Een blokje met inloggegevens verschijnt. Ik tik het wachtwoord van Jans in. Ik hoef er niet eens meer voor in haar agenda te kijken. JANS1907. Ik klik op doorgaan, een zandlopertje verschijnt. Het duurt lang. Alsof de pc weet dat niet Jans het wachtwoord intikt, maar Juul. Het meisje dat zich zorgen maakt over de afspraakjes die Jans heeft met de man die niet Juuls vader is.

Na wat een eeuwigheid duurt, besluit de zandloper dat het oké is dat Juul toegang krijgt, dat ze recht heeft op de informatie die ze zoekt. De mailbox van Jans opent zich.

Als een haas kom ik in actie. Ik open de map met verwijderde berichten, scrol door de lange lijst met namen. Lang hoef ik niet te zoeken. Om de paar berichten zie ik dezelfde naam staan. Joep van der Zand. Ik weet het direct, dit is de man van het bankje. Ik klik een van zijn berichten open.

Lieve Jans,
Ik zou niet weten wat ik zonder je zou moeten. Dank je wel dat je er voor mij bent.
Kus, je Joep

Ik staar naar het scherm, niet in staat iets te doen. Ik had verwacht dat ik boos zou zijn of op zijn minst gekwetst. Maar niets van dat alles. Ik voel me leeg, als een uitgeknepen tube tandpasta waar je met de beste wil van de wereld geen kloddertje meer uit krijgt.

Na vijf minuten gooi ik de mail dicht en sluit ik de pc af. De rest van Joeps berichten interesseert me niet meer. Ik weet genoeg.

16

WHO DO YOU THINK YOU ARE
- Spice Girls

Ik geloof niet dat ik ooit zo nerveus ben geweest. Ik slenter door het dorp in de richting van het schoolplein, waar ik met mijn 'fans' heb afgesproken. Mijn fiets heb ik thuisgelaten. Mijn handen trilden zo erg dat ik het sleuteltje niet in het slot kreeg. Het kwam eigenlijk wel mooi uit. Ik was veel te vroeg van huis gegaan, onze afspraak was pas over twee uur. Door te gaan lopen kon ik de tijd nog wat doden.

Onderweg bestudeer ik uitgebreid een etalage met zwangerschapskleding, loop ik alle paden van de doe-het-zelfzaak door en laat ik me bij de hulpmiddelenwinkel informeren over de aanschaf van een rollator (zogenaamd voor mijn oma, ik wil graag weten wat de mogelijkheden zijn).

Tien voor drie arriveer ik bij het schoolplein. De eerste meiden komen net aanlopen.

Ik zie Anne in gesprek met Pia, Sanne, Door, Miek en nog wat kinderen uit een andere klas. Ze kijken op hun mobieltjes, houden die af en toe bij hun oor. Zouden ze naar mijn liedjes luisteren?

Als vijf minuten later Vera arriveert, lijkt het gezelschap me wel compleet. Ik kijk op mijn horloge, besluit nog even te wachten. Sterren komen tenslotte nooit te vroeg.

Terwijl ik buiten het zicht van mijn klasgenoten nog wat heen en weer drentel, ontstaat er plotseling ophef op het schoolplein. De meiden beginnen te gillen, slaan Vera op haar rug en geven haar om de beurt een *hug*.

Vertwijfeld sla ik het tafereel gade. Wat is er aan de hand? Mijn hersenen draaien overuren. Is Vera jarig, zou ze eindelijk ongesteld zijn geworden, heeft ze voor het eerst getongd? Dat laatste skip ik direct. Ik weet dat jongens niet bepaald kritisch zijn, maar tongen met Vera, dat moet je toch niet willen…!?

Ondertussen gedragen mijn klasgenoten zich nog altijd alsof ze speed hebben gesnoven. Nadat ik ze nog een minuutje of wat heb gegeven (soms moet je ze gewoon even laten uitrazen), besluit ik dat het genoeg is geweest. Tijd voor belangrijkere zaken.

Zo koel en beheerst als ik maar kan, loop ik het schoolplein op. Als ik vlak bij het groepje ben, blijf ik stilstaan, neem een flinke hap adem en zeg zo nonchalant mogelijk:

'Hallo, hier ben ik dan. Jill.'

Niemand reageert, mijn stem gaat volledig ten onder in het gekakel dat nog altijd voortduurt.

Ik besluit mijn fans een herkansing te geven en met een iets luidere maar nog altijd coole stem zeg ik nog een keer:

'Hallo meiden, hier ben ik, Jill.'

Anne is de enige die reageert. Ze draait zich naar me toe en geeft me een high five.

'Hé, Juul. Wat zei je?'

Een antwoord verwacht ze niet. Ze begint direct weer te tetteren.

'Wat een verhaal, hè. Heb je het gehoord? Véra is Jill! Wie had dat nou gedacht! En dat ze dat geheim heeft kunnen houden. Niet te geloven, hè!' Anne kijkt me inderdaad heel ongelovig aan en draait zich dan weer om.

Ik ben sprakeloos. Van tevoren had ik allerlei scenario's doorgenomen:

A Als de meiden blij zouden zijn, zou ik ook blij zijn maar niet té. Ik ben tenslotte al gewend aan mijn succes.

B Als ze zouden gaan gillen, zou ik mee gillen maar niet te hard. Ik moet om mijn stem denken.

C Als ze vragen zouden hebben, zou ik die geduldig beantwoorden maar niet te lang. Sinds mijn liedjes zo veel aandacht hebben, ben ik razend druk, ik moet mijn agenda bewaken.

Maar het is allemaal voor niks geweest. Want de mogelijkheid dat iemand anders... dat Véra met de eer zou gaan strijken, dat scenario had ik nooit voor mogelijk gehouden.

Ik staar naar het groepje dolgedraaide meiden. Mijn tong ligt als een uitgesudderd runderlapje onder in mijn mond en mijn hart gaat zo te keer dat ik met gemak het WK hartkloppingen zou kunnen winnen.

Het gevoel dat ik knock-out ben gegaan, duurt een minuut of wat. Dan voel ik langzaam een enorme woede in me opkomen. Mijn hoofd begint op te zwellen, mijn ogen vuur te spuwen, mijn handen ballen zich samen tot twee vuisten op oorlogspad.

Ik kan me niet langer inhouden. Ik neem een stap naar voren en... begin te gillen. Absoluut niet cool en vreselijk ordinair te gillen.

'Vera ís Jill helemaal niet. Vera kan toch helemaal niet zingen. IK ben Jill. En *Who do I Tell* en *My Music* zijn van mij! HELEMAAL VAN MIJ!'

Het schoolplein verandert ter plekke in een gymlokaal waar zojuist het schriftelijk eindexamen is begonnen. Het is muisstil, niemand durft elkaar aan te kijken.

'*Who do I tell* en *My Music* zijn van mij,' zeg ik nog een keer, nu als een verwende kleuter die haar speelgoed kwijt is.

De meiden zijn nog steeds stil. Heel stil. Tot Vera zich als eerste herpakt en het woord neemt.

'Jaloers, Juul?'

Het groepje waaiert uit elkaar, Vera en ik komen als twee kemphanen tegenover elkaar te staan.

'Kun je het niet hebben, Juul?'

Vera kijkt me strak aan, een vals lachje om haar rood gestifte pruimenmond.

Ik denk koortsachtig na, wil van alles zeggen.

Dat Vera degene is die jaloers is en niet ik.

Dat die sms'jes nog niet zo erg waren, maar dat dit echt te ver gaat.

Dat ik het sneu voor haar vind dat ze dit doet, maar het haar best wil vergeven als ze nu maar toegeeft dat het niet waar is.

Alles wil ik zeggen om ervoor te zorgen dat dit stopt, dat het toch nog goed komt.

Maar ik zeg niks. Want ik weet dat wát ik ook zeg, ik het alleen maar erger maak.

Ik schud mijn hoofd, draai me om en loop langzaam het schoolplein af.

17

WHAT NOW - Rihanna

39.364.231

333.100 21.262

Dacht ik dat mijn leven definitief ten einde was, de dag na mijn afgang op het schoolplein blijkt dat het nog erger kan. Het begint als ik naar YouTube surf en onder *Who do I tell* een afschuwelijk filmpje vind. Ik herken de beelden direct. Ze zijn een paar maanden geleden gemaakt tijdens een eenmalige toneelles op school. Omdat niemand uit de klas daar nog aan herinnerd wilde worden, hebben we toen met zijn allen afgesproken dat die opnamen nooit in de openbaarheid zouden komen. Nu is blijkbaar besloten dat die afspraak er niet meer toe doet. Natuurlijk staat niet het hele filmpje online. Alleen het stukje waarin ik speel dat ik blij ben maar klink als een mekkerend schaap dat vastzit in het prikkeldraad, is op YouTube gezet. Op de achtergrond zingt iemand *Who do I tell*.

Nou ja, zingen. Het gemekker was er aangenaam bij.

Ik speel het filmpje drie keer af. Dan ben ik zo misselijk dat ik er niet meer naar kan kijken. Ik bel Pim.

'Heb je het gezien?' Mijn stem bibbert als een telefoon die op trillen staat.

'Wat?'

'Heb je het gezien? Op YouTube. Het filmpje?'

'YouTube? Wat is dat?'

Ik zucht. Ik weet natuurlijk dat Pim klaar is met dat gedoe rond YouTube, maar daar heb ik nu even geen boodschap aan. Dit is een noodgeval.

'Kijk nou even. Onder *Who do I tell*. Er staat een filmpje. Het is niet van mij. En het is heel erg.'

Ik probeer zo rustig mogelijk te blijven, het lukt me niet. Ik klink als Anne die zojuist een pukkel op haar neus heeft ontdekt.

'Wacht effe, ben mijn plank aan het waxen, heb vieze handen.' Ik hoor hoe Pim fluitend naar de badkamer loopt, de kraan opendraait, zijn handen wast, de rits van zijn broek naar beneden trekt, een plas doet (een enorme), zijn rits weer optrekt, de wc doorspoelt en fluitend naar zijn kamer terugloopt.

'Zo, wat is er aan de hand? Waar moet ik kijken?'

'*Who do I tell*, je ziet het vanzelf.' Als ik in paniek ben, word ik heel zakelijk.

Gelukkig doet Pim wat ik hem vraag. Hij gaat op zoek naar het filmpje en even later hoor ik voor de vierde keer de valse stem die mijn liedje tot een monsterlijke smartlap maakt. Ik probeer de geluiden te negeren, wacht ongeduldig Pims reactie af. Die is net zo erg als het filmpje zelf.

Pim begint te lachen.

Zo hard te lachen dat ik de telefoon een eindje van mijn hoofd moet houden.

'Je staat er mooi op, zeg! Je moet me echt beloven dat je

nooit, maar dan ook nóóit actrice zal worden. Serieus, Juul, ik was even vergeten hoe erg het was.'

'Pim, dit is niet grappig! Iemand probeert me te naaien. Straks denken ze nog dat ik echt zo vals zing!'

Het wordt weer stil. Ik hoor hoe Pim het filmpje nog een keer afspeelt. Heel even ben ik in de veronderstelling dat mijn beste vriend ooit, mijn liefste maatje, mijn trouwste bondgenoot, me nu serieus gaat nemen. Als Pim weer begint te lachen, weet ik dat ik ernaast zit.

'Juul, man, iedereen hoort toch dat jij dat niet bent. Waar maak je je druk om!'

Ik sta te trillen op mijn benen, hoor hoe Pim de opname doodleuk weer start. Alsof het hier om een *funniest home video* gaat!

Ik ben laaiend. Ik druk Pim weg, smijt de telefoon in de hoek van mijn kamer en laat me op mijn bed vallen. Wat een puinhoop. Kan ik me al niet meer normaal op school vertonen, nu laat Pim me ook nog vallen.

Minutenlang verroer ik me niet. Ik lig languit achterover, mijn armen over mijn ogen.

Na een tijdje dringen de geluiden van buitenaf weer tot me door. Ik hoor hoe Jans staat te rommelen in de keuken, een deksel van een pan valt luid kletterend op de stenen vloer.

Zucht.

Wat zou het nu fijn zijn om naar beneden te lopen, in Jans' armen te duiken en mijn hele hart bij haar uit te storten. Jans en ik waren de afgelopen jaren zo hecht geworden. We gingen regelmatig een ijsje eten of lieten samen Berta uit. Ondertussen kletsten we elkaar de oren van het hoofd. Of het nu ging over de gaafste golven *ever* die ik die middag had bedongen of een spannende tarotkaart die Jans die ochtend had getrokken. Nu is daar niks meer van over. Sinds het gedoe met Joep smaken de ijsjes niet meer, laat ik Berta liever alleen uit. Overigens heb ik nog wel geprobeerd met Jans te praten. Maar toen ik haar wilde vragen hoe het nu precies zat, of Joep werkelijk haar nieuwe vriendje was, raakte ik in paniek en liet mijn stem me in de steek. Want wat nu als Jans zou zeggen: 'Ja Juul, het klopt. Ik ben verliefd geworden op Joep. Smoorverliefd. En nu je er toch naar vraagt, ik moet jullie maar eens verlaten.'

Ik moet er niet aan denken. En voorlopig houd ik dus maar mijn mond. Maar op dagen als deze mis ik haar verschrikkelijk.

Ping.

Het schermpje van mijn telefoon licht op, een groepsbericht van school verschijnt in beeld. Ik ga rechtop zitten.

Schoolfeest, 20 november
Met een optreden van onze eigen Vera van der Vliet!
Kaartverkoop vanaf morgen.

Ik laat me weer achterover op mijn kussen vallen. Diep, dieper, allerdiepst...

18

IF I COULD TURN BACK TIME
- Cher

1.778.133

6.735 172

'Hoi.'

'Hoi!'

Ik sta voor Pims of eigenlijk Miels deur. Lang heb ik getwijfeld of ik bij hem langs moest gaan. Wat ik van Miel vind, of beter gezegd: wat mijn buik van hem vindt, weet ik namelijk niet. En mijn hoofd is simpelweg te vol om daarover na te kunnen denken. Maar vanmiddag heb ik besloten me daar niet meer druk om te maken. Je hoeft tenslotte ook niet over álles na te denken, soms kan je best eens iets hersenloos doen. De meiden uit mijn klas doen niet anders.

En nu sta ik dus voor de deur waar ik al zo vaak voor heb gestaan. Normaal doet Pim open, nu staat Miel voor mijn neus. En die lijkt blij.

'Hoi!' zegt hij nog een keer. 'Kom binnen, leuk dat je er bent!' En Miel duwt me de trap al op richting zijn kamer.

'Is, eh... Pim, eh...'

Waarom ik dat vraag weet ik eigenlijk niet. Miel interesseert het in ieder geval niet.

'Geen idee, volgens mij is hij er niet. Kom!' en ik voel hoe Miel me zijn kamer induwt. Dat gaat overigens niet vanzelf. Pal achter de deur staan twee enorme boxen en verder ligt de vloer bezaaid met afgekloven appels, lege chipszakken, gescheurde tijdschriften en nog veel meer troep die mijn moeder in de prullenbak gegooid zou hebben (van Jans ben ik minder zeker). Voorzichtig schuifel ik de kamer in. Maar als ik zie dat Miel zijn voeten doodleuk op de rotzooi plant, stop ik ook met moeilijk doen.

Even later zitten we met z'n tweeën op het bed, Miel zet zijn laptop op zijn knieën.

'Waar heb je zin in? O, ik weet al wat, The Spiders, echt een coole band. Moet je horen.'

Miel zet de muziek keihard aan, we kunnen alleen nog schreeuwen naar elkaar.

'Vet!' gil ik dus maar en steek mijn duim op voor het geval hij me niet verstaat. Miel kijkt me trots aan. Alsof hij het nummer zelf heeft geschreven én ingezongen. Maar voor ik daar iets over kan zeggen, is hij alweer op zoek naar de volgende 'door hem ontdekte band die het zéker gaat maken'. En zo gaan we nog een tijdje door.

Ik vind het fijn. Mijn hoofd is even leeg en echt praten doen we ook niet. Ondertussen geniet ik van de muziek die door de kamer dreunt. Dan klapt Miel ineens zijn laptop dicht.

'Zo, en hoe is het nou met jou? Ook nog lekker aan het zingen?'

Ik schrik. En niet alleen door de oorverdovende stilte die plotseling tussen ons in hangt. Ook Miels ogen (ze zijn nog altijd verschrikkelijk blauw) helpen niet. Ik voel hoe mijn wangen beginnen te gloeien, hoe de haartjes op mijn armen omhoog gaan staan.

Eén zinnetje, nou ja twee, en ik ben de kluts alweer kwijt.

'Eh, zingen… nee, eh ja. Tuurlijk zing ik nog, maar er zijn nogal wat…'

Grrr, net op tijd roep ik mezelf tot de orde. Had ik Miel toch bijna alles verteld. Over Jill en haar liedjes op YouTube, over de 5682 viewers en 3436 likes, over mijn afspraak op het schoolplein en ook over Vera. Gelukkig kan ik mezelf bedwingen.

Ik vermijd Miels ogen, concentreer me op zijn neusgaten en haal zo onzichtbaar mogelijk maar toch diep adem.

'Tuurlijk zing ik nog.'

Miel kijkt me onderzoekend aan, een flauw glimlachje om zijn mond.

'Leuk. Wil je wat voor mij zingen?'

Terwijl Miels vraag maar langzaam tot me doordringt, zie ik hoe hij over het bed naar me toeschuift, hoe zijn arm de lucht in gaat.

Een sirene gaat af in mijn hoofd. Ik schiet overeind, kan nog net Miels arm ontwijken en kom met een sprongetje vlak naast het bed terecht. Een zak wokkels kraakt onder mijn voeten. 'Sorry, ik moet gaan.'

Helaas, dat laat Miel niet zomaar gebeuren. Ook hij glijdt van het bed en gaat vlak naast me staan.

'O, jammer Juul, waarom ineens zo'n haast?'

'Ja, eh, sorry, gitaarles, vergeten…'

'Mmm.' Miels hoofd komt dichterbij, zijn stem klinkt zacht. 'Kusje als afscheid dan maar?'

Jak, hier heb ik geen zin in. Dat weten ik en mijn buik ineens heel zeker. Ik schud dan ook mijn hoofd, wil naar de deur lopen. Maar Miel geeft nog niet op. Hij pakt mijn schouders zachtjes vast en kijkt me doordringend aan.

'Eéntje maar,' fluistert hij, 'of vindt mijn broertje dat niet goed?'

'Broertje?' verbaasd kijk ik Miel aan.

Zijn hoofd is nu vlak naast het mijne, ik voel zijn warme adem in mijn oor.

'Ja, je vriendje, Pim,' zegt Miel nog nauwelijks hoorbaar, 'ben best een beetje jaloers op mijn broertje.'

'Vriendje? PIM?' Mijn stem slaat over.

'Pim is mijn vriéndje helemaal niet! Pim is gewoon...'

Een krakend geluid voor de deur van Miels kamer maakt dat de rest van de woorden in mijn mond blijven hangen. Mijn oren spitsen zich, het volgende moment hoor ik voeten de trap afdenderen.

'Pim is gewoon... mijn maatje,' maak ik stamelend mijn zin af. Dan vlieg ik de kamer uit.

'PIM!'

Maar het is al te laat. Beneden knalt de voordeur met een enorme klap dicht. Pim is verdwenen. Heel even blijf ik op de overloop staan, niet wetend wat te doen. Ik kijk naar de dichte deur onder aan de trap en dan over mijn schouder naar Miel, die in zijn kamer is achtergebleven, een onnozel lachje rond zijn mond.

Dat lachje maakt me razend. Al weet ik ook dat dat niet *fair* is. Alsof dit Miels schuld is. Nee, de enige die hier schuldig aan is, dat ben ik. Was ik maar nooit naar Miel toe gegaan.

Maar lang kan ik daar nu niet over nadenken. Ik steek mijn hand naar hem op, ren de trap af, trek de voordeur open en loop de straat in. Daar blijf ik hijgend staan. Ik kijk naar links, ik kijk naar rechts. Pim is nergens te bekennen.

19

IT AIN'T FAIR - Aretha Franklin

De wereld zit niet eerlijk in elkaar. Heb je koppijn van een nachtje doorleren of kun je de koortslip van je buurvrouw niet meer aanzien, dan vindt niemand het raar als je je ziek meldt. Maar word je belazerd door je klasgenoot en wil ook je allerbeste maatje niets meer met je te maken hebben, dan moet je van de leerplichtambtenaar gewoon naar school komen. Ik doe het braaf, mijn problemen zijn al groot genoeg. Maar het kost me wel behoorlijk veel energie.

'Pim, mag ik je geodriehoek lenen?'

'Waarom?'

'Ik ben de mijne vergeten.'

'Vervelend voor je, Juul.'

'Ja.'

'Ik heb de mijne ook niet bij me.'

'Wat ligt daar dan op je tafel?'

'Die is niet van mij.'

'Maar mag ik hem niet even gebruiken?'

'Dat weet ik niet, dat zou je aan Tom moeten vragen.'

'Tom, zou ik de geodriehoek die je aan Pim hebt uitgeleend even mogen vasthouden?'

'Ja hoor.'

'Tom vindt het goed, Pim.'

'Oké, alsjeblieft.'

Dit zijn zo ongeveer de gesprekken die Pim en ik hebben sinds het voorval in Miels kamer. We zijn beleefd naar elkaar, maar daar is dan ook alles mee gezegd. En ook de relatie met de rest van mijn klasgenoten is op zijn zachtst gezegd onwennig. Al moet ik zeggen dat er in de praktijk niet veel is veranderd. Was tot voor kort ík degene die die barbiepoppen links liet liggen, nu zijn de rollen omgedraaid. De meiden zijn vol van Vera's aanstaande optreden, mij gunnen ze geen blik waardig. Goed beschouwd negeren nu dus beide partijen elkaar en dat is misschien wel zo fair.

Omdat ik vanochtend mijn wiskundeschrift al vol heb getekend met smileys, drie keer ben gaan plassen en zes keer mijn etui heb in- en uitgeruimd, besluit ik nu mijn telefoon er maar eens bij te pakken. Misschien kan ik YouTube met een dodelijk virus besmetten of mijn vier contacten (mijn vader, Jans, Pim en mijn gitaarleraar) een beetje opschonen.

Het komt niet zover. Terwijl ik nutteloos wat aan het scrollen ben, komt er een nieuw sms'je binnen.

> Balen hè Jill, sorry.

Ja hoor, dat kan er ook nog wel bij. Een sorry van mijn stalker. Ik kijk nog een keer naar het bericht.

Balen hè Jill, sorry.

Ik moet zeggen, de afgelopen dagen is er werkelijk niks grappigs gebeurd. Maar van dit bericht zou ik haast de slappe lach krijgen.

Ik schud mijn hoofd. Vera, kan niet missen...

Nou ja, mysterie opgelost. Ik weet nu wie mijn stalker is. En dat is één zorg minder. Toch verbaast het bericht me wel. Ik wist dat Vera niet al te bijdehand was. Ik bedoel, als je niet eens weet dat *histoire* Frans is voor geschiedenis en niet het nieuwste parfum van weet-ik-veel-wie, dan is er toch een steekje aan je los. Maar dacht ze nou werkelijk dat ze met één keer sorry zeggen dit hele verhaal goed zou kunnen maken? Dat dat voldoende zou zijn om alles te vergeven en vergeten?

Ik zie ons weer staan op het schoolplein vorige week. De meiden als één man achter Vera en ik die daar werd weggezet als de eerste de beste leugenaar.

Maar ook het filmpje van de toneelles schiet door mijn hoofd. Dat staat nu al 3,5 dag op YouTube. En dat betekent dat ik al meer dan 72 uur voor schaap sta. Ten overstaan van de hele wereld! En dan zegt Vera sorry?!

En wat te denken van het schoolfeest morgenavond. De enige die daar op dat toneel hoort te staan, ben ik. Ik, die met míjn liedje 3548 likes heeft gescoord (stand vanochtend 7.15 uur) en níémand anders!

SORRY?

Vera heeft werkelijk álles om zeep geholpen. En dan denkt ze dat met één sms'je goed te kunnen maken? Nijdig wis ik het bericht van mijn telefoon en smijt het ding in mijn tas.

20

GIRL ON FIRE - Alicia Keys

107.094.324

461.352 21.265

Leer ik al mijn hele leven dat een etmaal standaard uit 24 uur bestaat, soms heb ik daar toch mijn twijfels over. Zo heb je dagen die al voorbij zijn nog voor de slaapstrepen uit je gezicht zijn verdwenen. Maar er zijn er ook waaraan met de beste wil van de wereld geen einde komt.

Vandaag is zo'n dag.

De wijzers van de klok hebben samen tot een langzaamaanactie besloten, de uren kruipen voorbij als een slak met pfeiffer. Vanavond is het optreden van Vera en het moment waarop zij in mijn plaats het podium op mag, komt gruwelijk langzaam dichterbij.

Al vanochtend bij het opstaan heb ik besloten het schoolfeest aan me voorbij te laten gaan. Maar naarmate de dag vordert, begin ik te twijfelen. Aan de ene kant heb ik totaal geen trek om naar mijn klasgenootje te gaan kijken. Ik heb geen zin platgedrukt te worden door een bende voor Vera joelende en juichende scholieren. Aan de andere kant vraag ik me af of er überhaupt wel gejuicht gaat worden. Want Vera mag dan een aardige stem hebben, een liedje zingen tijdens muziekles is toch wat anders dan een optreden voor een zaal vol stuiterende leerlingen die elke valse noot aangrijpen om je direct en finaal met de grond gelijk te maken.

Na een lange dag waarop ik zo fanatiek heb lopen ijsberen dat de blaren op mijn voetzolen staan, is het buiten inmiddels donker geworden. Ik kijk voor de zoveelste keer op de klok. Over een half uurtje gaat Vera het podium op en ik heb nog altijd niet besloten wat ik zal doen. Maar ineens weet ik het. Ik ga naar school. Al is het maar omdat de muren in mijn kamer op me afkomen.

Tien minuten later sta ik in de aula. Het is er stampvol en hoewel de gordijnen voor het podium nog dicht zijn, hoor ik het publiek de naam van Vera al gillen. Omdat ik geen zin heb klasgenoten tegen het lijf te lopen, blijf ik niet lang staan kijken. Ik schuif links langs de muur een eindje naar voren en vind twee meter voor het podium een plekje waar ik alles goed kan zien. Weer kijk ik naar de klok. Vijf over tien. Achter het gordijn is nog altijd geen beweging, nerveus wacht ik op wat komen gaat. Ook in de zaal begint het nu onrustig te worden. Vera's naam klinkt alsmaar luider terwijl de wijzers van de klok langzaam vooruitschuiven. Het wordt tien over tien, kwart over tien, tien voor halfelf. Vera laat zich niet zien.

Als er om halfelf nog niets is gebeurd, ga ik op onderzoek uit. Ik schuifel voorzichtig nog wat verder naar voren, wurm me links van het podium tussen alle tafels en stoelen door die daar voor de gelegenheid zijn opgestapeld en struikel in het donker over iets wat op een afgedankt decorstuk lijkt. Een bult op mijn knie en een geschaafde arm verder bereik ik het trapje aan de achterkant van het toneel.

Ik kijk om me heen. Niemand lijkt me gezien te hebben, alles draait om Vera vanavond. Natuurlijk. Langzaam loop ik de treden op, net zo ver tot ik kan zien wat er zich backstage afspeelt.

Ik schrik.

Op nog geen drie meter afstand zie ik Vera staan. Ze heeft een microfoon in haar handen, en naast haar staan Anne en onze muziekleraar, meneer De Bie. Anne houdt Vera's hand vast, De Bie praat op haar in. Ik kan slechts flarden verstaan.

'Maak je... zorgen... komt goed. Voor iedereen is... eng. Maar je... komt echt goed.'

De woorden, die duidelijk bemoedigend zijn bedoeld, helpen niet. Vera rukt haar hand los, barst in tranen uit.

'Het kan... niet... wil... niet!' Ze slaat haar handen voor haar ogen.

Even blijf ik besluiteloos staan. Ik hoor hoe de zaal aan de andere kant van het gordijn steeds ongeduldiger wordt en zie dat Vera daar alleen maar gestrester van raakt.

Plotseling weet ik wat me te doen staat, dit is mijn kans! Vlug neem ik de laatste twee treden van de trap, spring het podium op en loop op het groepje af. Als ik bij ze ben aanbeland, gaat mijn hand even de lucht in voor een misplaatste hoi, dan pak ik Vera de microfoon en haar gitaar af en kijk meneer De Bie aan.

'Ik neem het wel over,' zeg ik een stuk zelfverzekerder dan ik me voel.

Mijn muziekleraar stelt geen vragen, hij is duidelijk blij met mijn aanbod.

'Mooi,' zegt hij en hij begint Anne en Vera het podium af te duwen. 'Het gordijn mag open!' roept hij nog en voor ik het weet, sta ik in het volle licht.

Een afschuwelijk moment volgt.

Het publiek voor mijn neus valt stil, een paar honderd gezichten staren me aan. Op zich te begrijpen als er iemand anders op het podium verschijnt dan je verwacht, maar toch. Ik sta hier omdat *big lyer* Vera een zenuwinzinking nabij is en ik haar van de ondergang wil redden. Een beetje begrip is dus wel op zijn plaats. Dat ik daar echter niet op hoef te rekenen, is direct duidelijk. En omdat wegrennen ook geen optie meer is, sluit ik mijn ogen en zet *Who do I tell* in.

It's such a beautiful day
I'm walking down the shore...

Het eerste couplet is nog niet ten einde of de zaal begint te juichen. Eerst voorzichtig, daarna steeds luider. En als de laatste noten van *Who do I tell* wegsterven, is het publiek definitief om.

'We want more! We want more!'

Ik kijk naar De Bie. Hij geeft me een knikje, waarop ik besluit verder te gaan met *My Music*.

Ik zing zoals ik nog nooit gezongen heb. Het is mijn eerste echte optreden voor een volle zaal en ik geniet ervan alsof het ook mijn laatste is.

Veel te snel naar mijn zin is het allemaal voorbij. Ik buig, ik zwaai en geef handkusjes (had ik van tevoren geoefend) tot de gordijnen zich weer sluiten.

Terug in het donker realiseer ik me ineens wat ik heb gedaan. Ik voel hoe mijn handen trillen, hoe mijn hart als een gek tekeergaat.

Het zal me een worst wezen.

Ik heb het gefikst!

Lang kan ik er niet bij stilstaan. Ik ben nog niet van het podium af of ik word van alle kanten belaagd. Naast dat ik ontelbare handen moet schudden en word gezoend door mensen die me tot een uur geleden niet eens zagen staan, moet ik ook steeds weer uitleggen hoe het nou precies zit. Dat ík toch echt degene ben achter Jill. En dat *Who do I tell* en *My Music* van mij zijn.

Als ik tussen alle drukte door even de zaal inkijk, zie ik in de verte Pim staan. Onze ogen vinden elkaar, het duurt maar kort. Dan dringen nieuwe fans zich aan me op en gaat het circus weer verder.

Ik vergeet Pim. Ik wíl Pim vergeten. Dit is mijn avond. De avond waar ik alles voor gedaan heb. En die neemt niemand mij meer af!

21

HAPPY - Pharrell Williams

421.503.177

2.162.378 93.468

Het is al laat als ik eindelijk in mijn bed lig. Om halftwaalf was het feest afgelopen en ben ik op mijn gemakje naar huis gefietst. Daar zat mijn vader gelukkig nog op de bank. Even twijfelde ik of ik hem wel moest vertellen van het optreden. Maar al snel gooide ik mijn bezwaren overboord. Dit kon ik niet voor me houden. Mijn vader was gelukkig blij voor me. Al moest ik met mijn hand op mama's foto beloven dat ik mijn optredens zou beperken tot een schoolfeestje zo af en toe. Ik beloofde het. Ik had hem wel alles kunnen beloven. Ik was zo blij!

Een uurtje later lig ik dan toch in bed. Ik check nog even mijn telefoon, waarop nog steeds allemaal lieve berichtjes binnenkomen.

Juul on fire!!

Wow Juul, go girl!

Wanneer is je volgende optreden, Juul?

En zo gaat het nog even door. Maar dan valt mijn oog op een berichtje van xxxFan.

Shit, ik was ervan uitgegaan dat dat nu wel klaar zou zijn. Niet dus.

Trots op je Jill, xxxFan

Nou nou, die Vera, gaan we ineens aardig doen. Ach, laat ook maar, het is ook niet belangrijk meer. Maar net als ik het bericht wil verwijderen, valt mijn oog op de afzender. De afzender die tot nu toe anoniem was maar... dat nu ineens niet meer is. Ik voel hoe mijn ogen groot worden, mijn lippen zijn naam vormen.

Miel...?

Ik ga rechtop zitten, mijn neus op het schermpje gedrukt.

M-I-E-L??

Wat krijgen we nou? Dit is een bericht van mijn stalker, van Vera. Het staat er zelf: xxxFan.

Maar...

Ik snap er niks van.

Miel?!

De volgende drie minuten is het chaos in mijn hoofd. In een razend tempo neem ik de verschillende mogelijkheden door:

1 Vera heeft Miels telefoon gejat en stuurt nu vanaf zijn toestel berichtjes.

Nee, die optie gooi ik direct overboord. Vera mag dan niet al te slim zijn, dat ze ook nog steelt, geloof ik niet.

2 Miel weet door het optreden dat ik Jill ben en stuurt nu ook berichtjes.

Maar ook dat vind ik niet aannemelijk. Want hoezo doet hij dat dan uit naam van xxxFan? Die kent hij toch niet?

3 Vera en Miel zijn vrienden en sturen nu allebei berichtjes.

Nee, beslist niet. Miel weet niet eens dat Vera bestáát. Kom Juul, denk na!

4 Niet Vera maar Miel is mijn stalker en Miel is vergeten het berichtje anoniem te versturen.

Even moet ik dit tot me door laten dringen, maar dan weet ik dat het waar is. Bingo.

Ik leg mijn telefoon op het nachtkastje en laat me weer in mijn kussen zakken. Mijn hersenen maken nog steeds overuren. Ik denk terug aan die keer dat Miel opdook in de duinen toen ik samen met Pim opnamen aan het maken was. En ook zie ik weer voor me hoe Miel bij de kluisjes op school over mijn carrière begon. Miel heeft gewoon al die tijd geweten van Jill. En er is er maar één die hem daarover verteld kan hebben.

Pim.

Dus toch.

Ik weet niet wat ik moet denken. En ook niet wat ik nu voel.

Boos ben ik in ieder geval niet. Want boos zijn op Pim, dat kan ik gewoon niet.

Ik pak mijn mobiel weer op en tik een bericht aan Miel.

> Zo xxxFan, zullen we nu maar stoppen? Ik heb leukere fans.

Send.

22

WE USED TO BE FRIENDS
- The Dandy Warhols

1.711.107

4.422 107

Ik moet zeggen, ik heb het nooit naar gevonden om naar school te gaan. Maar de dagen na mijn optreden zou ik er het liefst blijven logeren. Het is net alsof ik er permanent in een warm bad lig met bergen Engelse drop (mijn lievelingssnoep) en liters cola (mijn lievelingsdrank) binnen handbereik. Werkelijk íédereen is aardig. Leraren knijpen een oogje dicht als ik mijn huiswerk niet heb gemaakt. Leerlingen uit de hogere klassen, die je normaal voor behang aanzien, zeggen me gedag in de gangen. En natuurlijk wijken ook de meiden uit mijn eigen klas niet van mijn zijde. Dat is dan wel weer een beetje onhandig, want ik heb natuurlijk nog steeds nul boodschap aan ze en dan is het best ongemakkelijk als ze ineens als bubbelgum aan je vastgeplakt zitten. Maar goed, het leven van een *rising star* heeft natuurlijk ook zijn minder leuke kanten.

De enige die ik wel echt probeer te ontlopen is Miel. Sinds ik erachter ben gekomen dat hij achter de sms'jes zit, heb ik besloten hem definitief tot foute playboy te degraderen.

Helaas.

Al op de tweede dag na mijn optreden loop ik frontaal tegen hem op bij het gymlokaal.

'Hé Juul, hoi. Hoe, eh, hoe gaat het?'

'Prima, dank je.'

Verrast luister ik naar mijn koele antwoord. Ik had mezelf natuurlijk voorgenomen geen aandacht meer te schenken aan die engerd. Maar stiekem was ik bang dat ik toch weer wat stoms zou zeggen als ik hem tegenkwam. Niets is gelukkig minder waar.

'Ik zal je maar geen berichtjes meer sturen, hè?'

Tot mijn verbazing zie ik Miels voeten nerveus heen en weer schuiven over de vloer. De rollen zijn nu duidelijk omgedraaid.

'Nee, dat zou ik maar niet doen, Miel.'

'Heb ik, eh... heb ik je bang gemaakt?'

'Bang ben ik niet zo snel, Miel. Maar heel vrolijk werd ik er niet van, zullen we maar zeggen.'

'Sorry, dat, eh... dat was niet mijn bedoeling. Ik wilde je alleen een beetje... nou ja... een beetje plagen, denk ik.'

'Oké,' zeg ik nog, dan loop ik zo rustig als ik ook maar enigszins kan de gang uit.

Hiha!

De rest van die middag verloopt zoals ik dus al een paar dagen gewend ben. Bij wiskunde mag ik mijn proefwerk naar volgende week verzetten omdat ik echt geen tijd heb gehad om te leren. Bij Frans kletsen we een uur lang over de volgende stap in mijn carrière en tijdens muziekles bekijken we de diverse aanmeldingseisen van *Pop Stars*, *Idols* en *The Voice*. Dat mijn vader het nóóit goed zou vinden als ik aan een van die programma's mee zou willen doen, vertel ik er maar niet bij.

Alleen tijdens het laatste uur bio moeten we gewoon aan de slag. Ik had niet anders verwacht. Meneer Van Zandten heeft zich nog nooit verlaagd tot het bezoeken van ook maar één schoolfeest en is al helemaal niet geïnteresseerd in wiens persoonlijke succes dan ook. Spinnen, torren en kakkerlakken: dat is wat hem opwindt en niets anders. Het is dan ook Van Zandten die mij voor eventjes uit mijn jubelstemming haalt.

'Juul, wil jij ervoor zorgen dat Pim zijn huiswerk krijgt?'

Pim is al een paar dagen niet op school, volgens de verhalen ligt hij met griep in bed.

'Eh, dat komt me niet goed uit, meneer Van Zandten. Ik moet direct uit school naar gitaarles, dus dat lukt me niet.'

Al had ik naar een cursus punniken gemoeten, Van Zandten interesseert het niet. Ongeduldig staat hij te wapperen met Pims huiswerk. 'Wie dan, jongens? Kleine moeite, zou ik zeggen.'

Tim steekt direct zijn vinger op. 'Ik doe het wel hoor, ik woon toch bij hem in de straat.'

Van Zandten dropt het werk op Tims tafel.

Ik staar ongemakkelijk naar Tim, die de papieren netjes bij elkaar raapt en in zijn tas stopt.

Sinds mijn eerste dag op het Wellant College hadden Pim en ik elkaar door dik en dun gesteund. Als ik een keer niet had geleerd voor een overhoring, liet Pim me afkijken. Als Pim zijn huiswerk niet had gemaakt, liet ik hem het mijne overschrijven. En als een van ons een dag niet op school was, stonden we gelijk bij elkaar op de stoep.

Natuurlijk ook om het huiswerk door te geven, maar vooral om even stoom af te blazen na een megasaaie dag zonder kinderachtige grapjes, melige roddels en flauwe pesterijen.

En vandaag heb ik dus gebroken met onze onuitgesproken maar rotsvaste afspraak dat we er altijd voor elkaar zullen zijn. Mijn vriendschap met Pim is ten einde. Want als je niet weet wat de ander van je denkt, je misschien ook wel te bang bent om dat uit te vinden en je daarom maar geen moeite meer doet, dan heb je niets meer met elkaar. Ik gooi mijn spullen in mijn tas en loop de klas uit.

23

I'M BORED - Iggy Pop

259.304

1.161 25

Braaf sjok ik langs de eindeloze rijen met schilderijen. We zijn met onze klas op schoolreis, bezoeken een museum voor moderne kunst. Ik val er van de ene verbazing in de andere. Zie ik een doek waar iemand een pot gele verf overheen heeft laten vallen, vertelt de mevrouw die ons rondleidt dat het schilderij 'Lente' heet.

Tja.

Mij doet het meer denken aan een regenpak waarin je nog niet dood gevonden wilt worden maar dat expres knalgeel is zodat je lekker opvalt.

Ondertussen schrijf ik de namen van al die zogenaamde kunstwerken toch maar netjes op het formulier dat we aan het begin van de rondleiding gekregen hebben. Onze tekenleraar heeft beloofd dat we er punten mee kunnen scoren voor ons rapport. Hij moest wel. Geen hond die anders ook maar enige interesse zou hebben.

Als ik klaar ben, besluit ik me op belangrijkere zaken te richten. Zingen en liedjes schrijven, dat is wat ik wil. Helemaal nu mijn carrière in de lift zit. Sinds mijn optreden stromen de likes binnen, vanochtend zat ik op 5353. Streven bereikt! En dat ook nog onder mijn eigen naam. Jill is definitief verleden tijd, iedereen mag weten dat het Juul is die die liedjes zingt! Ik draai mijn blaadje om en kladder op de achterkant de regels die al dagen door mijn hoofd spoken.

He loved her
He kissed her
He hugged her...

'Vera, blijf je bij ons?' Van der Velden, onze geschiedenisleraar, haalt me uit mijn concentratie. Hij maakt zich druk om Vera, die steeds verder achterop raakt. Dat Vera dat expres doet omdat de klas haar heeft uitgekotst sinds ze door de mand is gevallen op het schoolfeest, dat weet Van der Velden natuurlijk niet.

'Kom Vera, vind je het zo mooi? Is het ook, hè. Maar je moet wel bij ons blijven hoor, straks zijn we je nog kwijt.'

Vera trekt haar mondhoeken wat omhoog in een poging een lachje te produceren. Het lukt haar niet. De eerste dagen na het schoolfeest was Vera ziek thuisgebleven. Maar op een gegeven moment moest ze toch weer naar school. Je kunt tenslotte niet eeuwig verkouden zijn. En sindsdien loopt ze rond met een gezicht dat veel weg heeft van een schilderij dat ze hier vast 'Sneeuwlandschap' zouden noemen.

Ik kijk weer naar mijn formulier en maak het eerste couplet af.

He loved her
He kissed her
He hugged her
He missed her

But she fell in love with another guy
Another guy...

We lopen een nieuwe zaal in, mijn ogen knijpen zich samen. De gele verf was blijkbaar op, rood is hier de kleur. Ik word er draaierig van. Ik besluit de schilderijen te negeren, schrijf snel alle namen op de bordjes over en concentreer me weer op mijn songtekst.

He adored her
He inspired her...

Een gil schalt door de ruimte waarin normaalgesproken alleen beleefd gefluisterd wordt. Ik schrik op en zie in de deuropening van de zaal Vera op de grond liggen. Naast haar staan Anne en Pia schijnheilig te lachen. Van der Velden kijkt verbaasd naar zijn spartelende leerling, die met een rood hoofd haar spullen bij elkaar aan het rapen is. Hij helpt haar overeind.

'Waar zit je toch met je hoofd, meisje?'

Anne en Pia hebben inmiddels de slappe lach. En ook de rest van de klas begint te gniffelen. Vertwijfeld kijk ik weer naar Vera, die haar best doet niet in tranen uit te barsten. Ik weet niet wat ik moet denken. Ik had Vera die middag op het schoolplein het liefst in elkaar getimmerd. En ik word nog steeds misselijk als ik terugdenk aan het moment waarop zij zich voordeed als Jill en mij wegzette als een of andere jaloerse leugenaar. Maar ondertussen vind ik het toch lastig om te zien hoe Vera aan de kant wordt gezet.

Ik richt mijn aandacht weer op mijn nieuwe songtekst en probeer Vera te vergeten. Want om nu médelijden met haar te krijgen, dat gaat me toch te ver.

He adored her
He inspired her
He calmed her
He admired her

But she fell in love with another guy
Another guy...

Als we in de garderobe zijn aanbeland, vliegen mijn ogen nog één keer over de regels. Dan slaak ik een zucht, zet een dikke kras door de coupletten en lever mijn formulier in. Een liedje over Jans, ook daar heb ik geen zin in.

24

I WON'T GIVE UP - Jason Mraz

38.906.235

231.235 1995

Ze is erin getrapt, ze is er gewoon in getrapt! Het gonst in de klas. En het gaat over Vera. Wat er precies aan de hand is, weet ik niet. Maar dat het niet oké is, is zo duidelijk als de dikgedrukte letters in het geschiedenisboek dat voor me ligt.

Ik kan me niet bedwingen en besluit Pim ernaar te vragen.

'Weet jij waar dit over gaat?'

Pim en ik zitten nog altijd naast elkaar in de klas. Leraren weigeren namelijk voor ieder onbenullig ruzietje de hele boel om te gooien. Dat het hier niet om wat puberaal gekibbel gaat maar om het dramatische einde van wat ooit een vriendschap voor het leven was, dat snappen ze natuurlijk niet. We slaan ons er dan ook maar zo goed mogelijk doorheen. Dat betekent dat we elkaar zo veel mogelijk negeren en praten we toch tegen elkaar, dan alleen over het hoognodige. Dit vind ik hoognodig.

'Weet jij waar ze het over hebben?'

'Vera,' bromt Pim.

Omdat dat antwoord wel erg beperkt is, probeer ik het nog een keer.

'Wat is er met haar?'

'Ze wordt er weer in geluisd.'

'Maar hoe dan?' Ik vraag het zo geduldig mogelijk. Geduld is heel belangrijk als je relatie aanvoelt of het tien graden onder nul is en je wilt voorkomen dat het min vijftig wordt.

'Vera denkt dat die Michael uit 5 havo haar heeft meegevraagd naar de film,' antwoordt Pim.

'En is dat niet zo?'

'Nee, ze wordt er dus in geluisd.'

'En nu?'

'Ze heeft ja gezegd.'

Ik zucht. Aan de ene kant omdat ik blij ben dat Pim de moeite heeft genomen me dit uit te leggen. Aan de andere kant komt die zucht ook voort uit het feit dat Vera voor de zoveelste keer wordt genaaid.

'Irritant,' zeg ik.

'Ja.'

Ik kijk opzij naar die o zo bekende ogen in dat o zo bekende hoofd. En ondanks dat ons gesprek zich wederom beperkt tot dat wat strikt noodzakelijk is, weet ik als geen ander dat Pim ook baalt van dat gedoe met Vera. Dat ook hij daar niks van moet hebben. Want Pim is geen matennaaier. Pim is juist een jongen die recht voor zijn raap is, die je altijd eerlijk vertelt wat hij vindt. En natuurlijk is dat ook niet altijd makkelijk. Want die keer dat hij doodleuk zei dat het nummer dat ik die nacht had geschreven ‘gewoon niet lekker liep’, kon ik hem wel wurgen. En toen hij me vroeg om een van mijn liedjes niet meer te zingen omdat ik ‘die hoge tonen toch niet haalde’, heb ik overwogen hem levend te begraven. Maar ondertussen vind ik het toch fijn dat hij altijd eerlijk zijn mening geeft. En ik denk dat we juist daarom zulke goede maatjes zijn.

Waren.

‘Heb je misschien zin om straks te surfen?’

Ik schrik van mijn vraag. Maar hij is eruit voor ik het in de gaten heb. En nu hangt hij tussen ons in als een stuk ontbijtkoek tijdens een spelletje koekhappen.

Ik durf Pim niet aan te kijken, wacht nerveus zijn antwoord af.

En dat laat heel lang op zich wachten. Zo lang dat ik toch mijn hoofd maar weer opzij draai.

Ik zie hoe Pim een hoekje van een bladzijde uit zijn geschiedenisboek omkrult, weer terugbuigt en toch weer omkrult. Pim weet zich duidelijk ook geen raad. Dan volgt het antwoord waar ik al bang voor was.

‘Nee, sorry, geen tijd.’

Ik geef hem een knikje, draai mijn hoofd weg en baal.

25

THAT'S WHAT FRIENDS ARE FOR
- Dionne Warwick

13.586.351

27581 485

Jans en ik staan vlak voor het podium in het GelreDome. Op nog geen tien meter afstand zingt Anouk de pannen van het dak. Toen Jans me een paar weken geleden vroeg of ik met haar mee wilde naar het concert van Anouk, kwam ik eerst met allerlei fantastische smoezen op de proppen.

Ik had het te druk met het schrijven van nieuwe liedjes, mijn carrière zat tenslotte in de lift en dat moment moest ik benutten.

Ik moest nodig studeren voor gitaarles, anders wilde mijn leraar me niet meer zien, want kinderen die niet studeerden, konden beter gaan balletten.

Ik had niks om aan te trekken…

Maar stiekem wilde ik dolgraag naar dat concert. En toen Jans haar wenkbrauwen optrok bij die laatste smoes (ik heb me nog nóóit druk gemaakt om wat ik aan moet), heb ik dus toch maar ja gezegd.

Gelukkig maar. Het concert is wáánzinnig! We staan te swingen alsof er Red Bull door onze aderen stroomt en mijn oksels ruiken naar vuile sokken die al weken onder mijn bed liggen. Het maakt allemaal niet uit. Als er maar nooit een einde komt aan deze avond.

Helaas. Veel te snel naar mijn zin kondigt Anouk haar laatste liedje aan, teleurgesteld kijk ik naar Jans. Die lacht, slaat haar arm om me heen en samen luisteren we naar *Birds*, mijn lievelingsnummer.

Dik een half uur later staan we op straat. Jans heeft me nog altijd niet losgelaten, samen lopen we richting het station.

'Wat was dat gaaf, hè?' Jans knijpt me zachtjes in mijn schouder.

'Nou,' zeg ik omdat ik nog even geen andere woorden kan bedenken.

'Juul?'

Ik durf niet opzij te kijken, bang voor wat komen gaat.

'Wil je me zeggen wat er is?'

Ik hoef niet te vragen wat Jans bedoelt. En wat ik ook weet, is dat Jans er het juiste moment voor heeft uitgezocht.

'Wie is Joep?' Verbaasd hoor ik mezelf de vraag stellen die al weken door mijn hoofd spookt, de vraag die al tijden op mijn lippen brandt. Een avondje Anouk en hij schiet als een pingpongbal mijn mond uit.

'Wie is Joep?' Verwonderd kijkt Jans me aan. 'Joep is een vriend van mij.'

Even is het stil, dan gaat ze verder. Alsof ze snapt dat

dat antwoord bij lange na niet genoeg is.

'We hebben vroeger samen in die band gezeten, weet je wel, waar ik je laatst over vertelde.' Weer kijkt Jans me onderzoekend aan. 'Waarom vraag je dat?'

Mijn keel knijpt zich samen, mijn tong zou een moord doen voor een druppeltje van die Red Bull. Toch weet ik dat ik niet meer terug kan, dat ik nu door moet zetten.

'Ben je verliefd op Joep?'

'Of ik verliefd...??' Jans heeft me al losgelaten. Ze gaat voor me staan, pakt mijn schouders beet, dwingt me haar aan te kijken. 'Meisje van me,' zegt ze dan. 'Joep is gewoon een vriend van me. Een vriend die diep in de shit zit. Ik weet niet hoe je erbij komt, wat je je in je hoofd hebt gehaald, maar de enige op wie ik verliefd ben, is jouw vader. Die gekke, onnozele, onhandige, eigenwijze, maar vreselijk lieve vader van je.'

Ik weet niet wat me overkomt en het is beslist niet cool. Maar Jans is nog niet uitgesproken of ik gooi me in haar armen en begin keihard te huilen. Ik smeer Jans' jas onder het snot, maak geluiden die je op straat helemaal niet wil maken, klem me aan haar vast alsof ik elk moment kan verzuipen.

En Jans vindt het goed.

Dus staan we daar maar. Midden op de stoep, vlak voor het Centraal Station van Arnhem. En geen van ons tweeen is van plan de ander los te laten.

Als na een heel lange tijd mijn tranen eindelijk op zijn, begin ik een beetje nerveus te lachen. En ook dat maakt Jans niet uit. Ze lacht zachtjes met me mee.

Tien minuten later zitten we boven een kop warme chocolademelk in een verder leeg stationsrestaurant. En hoewel ik eigenlijk genoeg weet, geen enkele twijfel meer heb, moet ik Jans toch nog wat zeggen.

‘Ik zag jullie op een bankje in de duinen. En ik heb je mail gelezen... Sorry.’

Jans schudt zacht haar hoofd en pakt mijn hand vast. ‘Joep heeft veel problemen, Juul. Hij heeft geen baan, drinkt te veel en nu heeft zijn vriendin hem ook nog in de steek gelaten. Ik probeer hem te helpen. Daar ben je toch vrienden voor?’

Ik geef Jans een knikje en neem nog een slok van mijn chocolademelk.

‘Daar ben je vrienden voor,’ zeg ik zachtjes.

26

YOU GIVE LOVE A BAD NAME
- Bon Jovi

42.863.421

121.569 1.528

Het is vrijdagavond kwart voor zeven. Ik zit op de fiets, op weg om een ijsje te kopen voor Jans en voor mij. Sinds kort doen we dat weer, samen ijsjes eten. Jans met chocolade en ik met aardbei. Normaal gaan we natuurlijk met zijn tweetjes naar de ijssalon, maar deze keer ben ik alleen. Jans voelt zich grieperig, maar omdat ze best trek heeft in een ijsje, ga ik dat voor haar halen.

Ik parkeer mijn fiets voor de deur, loop naar binnen en sluit achteraan aan in de rij. Die is lang. Om de tijd te doden, bekijk ik de mensen die voor me staan, controleer ik of onze favoriete smaken er zijn en bereken ik het aantal bolletjes dat je per uur kunt scheppen. Het personeel achter de balie doet ongeveer 3 bolletjes in 10 seconden. Dat is 18 bolletjes per minuut. En dat maal 60 is 1080 bolletjes per uur. Voorwaarde is dan wel dat klanten rúím van tevoren beslissen welke smaken ze willen. Grrrr.

Als ik ben uitgeteld, richt ik mijn blik naar buiten. Aan de overkant van de ijssalon is de bioscoop en ook daar staan mensen te wachten. De nieuwe film met Zac Efron gaat vanavond in première.

Plotseling zie ik een bekende aankomen. Het is Vera. Ze parkeert haar fiets tegen een lantaarnpaal, loopt naar de ingang van de bios en gaat daar staan wachten.

In mijn hoofd gaat een scheepstoeter af. Was vanavond niet de avond waarop Vera met Michael...?

Ik word ineens nerveus en schuifel wat heen en weer in de rij, maar houd mijn blik strak op de bioscoop gericht. Zou Vera nog steeds denken dat ze een date heeft?

De rij voor me schuift op. Er staan nog twee wachtenden voor me. Ik besluit mijn achterbuurman voor te laten gaan. Ik moet ineens nadenken of aardbei nog wel zo'n goede keus is.

Aan de overkant van de straat zie ik Vera nog altijd om zich heen kijken. Ze drentelt wat heen en weer, frunnikt aan haar haren. Vera frunnikt altijd.

Ondertussen ben ik weer bijna aan de beurt. Maar omdat ik nu toch wel wil weten wat er aan de andere kant van de straat gaat gebeuren, mompel ik dat ik mijn portemonnee niet kan vinden en stap uit de rij. Terwijl ik wat in mijn tas rommel, hoor ik plotseling gegil aan de overkant. Ik laat mijn portemonnee voor wat hij is en kijk weer uit het raam. Daar zie ik ineens Anne, Pia en Sanne. Op een paar meter van Vera vandaan staan ze keihard te lachen. Ze slaan elkaar op de schouders en wijzen naar hun klasgenootje.

Mijn keel knijpt zich samen, geen aardbeienijs dat daar

straks nog doorheen komt. Niet goed wetend wat ik nu moet, loop ik naar het raam en laat ik me op een van de barkrukken zakken. Mijn blik houd ik ondertussen strak op de overkant gericht. Daar staat Vera nog steeds als bevroren naast de ingang van de bioscoop, haar gezicht lijkbleek.

De meiden tegenover haar interesseert dat niet. Ze weten van geen ophouden, hebben de grootste lol. Ik laat mijn hoofd zakken, kijk naar de hand die nog altijd in mijn tas bungelt. Naast mijn keel begint nu ook mijn maag te protesteren.

Bij de bioscoop komt Vera in beweging. Ze rent naar haar fiets, steekt haar sleuteltje in het slot en gaat er als een haas vandoor. De meiden roepen haar wat na en vallen elkaar dan weer lachend in de armen.

Ik kan het niet langer aanzien. Ik wend mijn blik af en concentreer me weer op de vitrine met ijs. Achter het glas zie ik de bak met chocolade-ijs, ernaast mijn favoriete aardbeiensmaak. Het interesseert me niet meer. Ik laat me van de barkruk zakken, mompel wat tegen niemand in het bijzonder en loop naar buiten.

Twee tellen later stap ik op mijn fiets. Door mijn hoofd spoken de meest afschuwelijke beelden. Ik zie Vera weer staan tegenover die vreselijke meiden, haar ogen groot, haar gezicht verkrampt. Langzaam fiets ik de straat uit.

27

WITH A LITTLE HELP FROM MY FRIENDS - The Beatles

9.775.235

30.525 528

Ik ben al bijna thuis als ik mijn fiets omdraai en terugrijd naar het dorp. Vlak voor de kerk sla ik rechtsaf. De straat waarin ik terechtkom is smal. De huizen zijn klein, hebben geen voortuin. Als ik ongeveer bij het middelste huis ben aanbeland, stap ik af. Hier moet het ergens zijn. Ik tuur naar de voordeuren, probeer de namen op de bordjes ernaast te lezen. Van der Borst, Klaver... Van der Vliet!

Ik zet mijn fiets tegen een lantaarnpaal en probeer mijn hart te negeren, dat haasje-over doet in mijn borst. Langzaam loop ik op de voordeur af. Daar blijf ik even besluiteloos staan. Ik kijk nog eens achterom het stille straatje in, draai me dan weer om en ga op zoek naar de deurbel. Er is geen excuus meer. Ik bel aan.

Achter de deur begint een hond te blaffen. Nou ja, blaffen, het klinkt als het geluid van zo'n wattig mormel dat je in de speelgoedwinkel koopt en waar je na één dag de batterijen al uitrukt omdat je helemaal gek wordt van het gekef. Stiekem hoop ik dat er niemand thuis is, maar al snel hoor ik voetstappen dichterbij komen.

'Vlékje! Hou op, Vlek!' Ik herken de stem uit duizenden. Even heb ik de neiging rechtsomkeert te maken, maar het is al te laat. De voordeur gaat open en Vera verschijnt.

Ik zie dat ze schrikt, met grote ogen kijkt ze me aan. Ze zijn rood van het huilen.

'Dag,' zeg ik wat bedremmeld.

Op de fiets had ik nog zo goed nagedacht over wat ik ging zeggen. Dat ze natuurlijk een fout had gemaakt door zich voor Jill uit te geven. Dat ze dat nooit had mogen doen. Maar dat ik het heel vervelend vond dat ze nu zo werd gepest. Dat ik het daar echt niet mee eens was. Iedereen deed tenslotte wel eens iets stoms.

Van mijn hele verhaal is niks over. 'Dag' is alles wat er uit mijn mond komt.

En ook Vera zit bepaald niet op haar praatstoel. Ze blijft me aankijken met die betraande ogen, op haar wang een zwarte veeg mascara. Ze zou zich rotschrikken als ze zichzelf zo in de spiegel zag.

'Ik, eh, mag ik even binnenkomen?'

Ik heb geen idee waarom ik dat nu weer zeg. Ik wil helemaal niet naar binnen, ik wil gewoon zeggen wat ik moet zeggen en dan wegwezen. Maar Vera knikt al. Ze stapt naar achteren om mij erdoor te laten.

Ik wurm me langs mijn klasgenootje en loop de woonkamer in. Het keffende worstenbroodje is me achterna gerend en springt tegen me op. Bang dat ik straks ook nog mijn vingers kwijt ben, stop ik ze snel in mijn broekzak.

Gelukkig grijpt Vera in. Ze pakt Vlekkemans bij zijn halsband, trekt hem naar de gang en doet de deur achter zich dicht. Het beest is daar niet van gediend. Hij springt tegen de deur op en blaft de longen uit zijn lijf. Die batterijen zouden zo gek nog niet zijn...

Vera lijkt het niet te merken. Op een meter of twee van me vandaan blijft ze staan. Ze kijkt me niet aan, maar wacht lijdzaam op wat komen gaat.

Ik steek van wal. Ik ratel de tekst die ik heb ingestudeerd zonder ook maar één hapering achter elkaar af. Omdat ik tussen de zinnen door vergeet adem te halen, eindig ik in een benauwde hoestbui.

Vera houdt al die tijd haar ogen naar beneden gericht, friemelt wat aan de knopen van haar blouse. Als ik ben uitgehoest, zegt ze zachtjes: 'Het spijt me.'

'Mij ook,' antwoord ik net zo zachtjes terwijl ik ondertussen hevig met mijn ogen sta te knipperen omdat die vol tranen staan van mijn bijna-stik-ervaring.

Een lange stilte volgt. Ik weet niet meer wat ik moet zeggen. Net als ik wil opstaan om naar huis te gaan, kijkt Vera me plotseling aan.

'Ik was jaloers.'

Ik kijk haar verbaasd aan.

'Al vanaf het moment dat je bij ons in de klas kwam,' gaat ze verder. 'Daarom heb ik het gedaan.'

'Jaloers? Op mij?' vraag ik onnozel.

'Ja. Jij kan alles. Je kan zingen, je speelt gitaar, je surft. En je hebt ook nog Pim.'

Bij het horen van Pims naam voel ik een steek in mijn buik.

'Daarom heb ik het gedaan. Ik herkende je al snel op dat filmpje. Ik zag het aan dat zilveren dingetje waarmee je gitaar speelde, dat plectrum dat je in je etui bewaart. En ik was zo jaloers, ik wilde ook wel eens succes hebben.'

'Maar jij hebt… had toch ook vrienden?' zeg ik om maar wat te zeggen.

'Pfff, dat stelt niks voor, dat mag inmiddels wel duidelijk zijn.'

'Het spijt me,' mompel ik. 'Wat, eh… kan ik je misschien ergens mee helpen? Ik weet niet…' aarzelend kijk ik Vera aan.

'Dat hoeft niet. Na de zomer ga ik naar een andere school. Eerst twijfelde ik nog, maar na vanmiddag weet ik het zeker. Ik kan niet meer terug. Wil ook niet terug. Het lijkt me fijn om een nieuwe start te maken.'

'Dat lijkt me ook fijn,' zeg ik zachtjes. Dan sta ik langzaam op. 'Nou, ik ga maar. Ik hoop dat je het naar je zin krijgt op je nieuwe school.'

Vera knikt en loopt met me mee de gang in. Bij de voordeur draai ik me nog een keer om.

'Als je een keertje mee wilt surfen, dan moet je maar bellen. Ik kan het je leren.'

Een flauw lachje verschijnt rond Vera's mond. Dan slaat ze ineens een arm om me heen.

'Dank je wel dat je gekomen bent.'

28

Die nacht slaap ik niet. Er is namelijk nog iets wat ik moet doen. Met mijn leeuwenklauwen aan mijn voeten en Berta onder mijn hoofd als kussen schrijf ik een nieuw liedje.

Sorry

I know I was not there for you
too busy with myself
I know I did not care no more
forgot what friends are for

I am sorry for the mistakes I made

for all the moments I did miss
I am sorry for the pain I caused
I hope you can forgive

I know I let you down
you must have lost your faith
I know now that it was wrong
but hope it is not too late

I am sorry for the mistakes I made...

Het begint al licht te worden als het nummer eindelijk af is. Maar ik ben er nog niet. Ik neem mijn laptop op schoot, surf naar YouTube en log in op mijn account. Als het liedje online staat, stuur ik een berichtje naar Pim met een link naar de opname. Tot slot mail ik het nummer naar mijn favoriete radiozender. Sinds zij een paar weken geleden een oproep deden voor een singer-songwriter-wedstrijd, heb ik voortdurend nagedacht over een geschikt liedje. Het lijkt me mooi om het met *Sorry* te gaan proberen.

Als alles is verzonden, schuif ik de laptop onder mijn bed en val ik naast Berta in een diepe slaap. Om elf uur schrik ik wakker van mijn telefoon. Pim.

'Hoi.'

'Hoi.'

'Mooi nummer.'

'Dank je.'

'Al loopt het niet helemaal lekker.'

'Asshole.'

'Wil je surfen?'
'Nu?'
'Ja?'
'Als je belooft dat je het niet doorvertelt aan Miel.'
Even is het stil, dan hoor ik gegrinnik aan de andere kant van de lijn.
'Beloofd. En Juul? Sorry nog...'
'Ik kom eraan!'

HOI!

Jij bent vast ook wel eens heel erg trots op iets geweest. Nou, ik ben dat op *Juul on fire*, mijn eerste boek! Jaren heb ik ervan gedroomd. Eigenlijk net als Juul. Zij wil dolgraag zangeres worden. Ik kon niks mooiers bedenken dan een echte schrijver zijn. Dat begon al op de basisschool. Ik verzon allerlei verhalen waar ik zó veel plezier aan beleefde. Kan je je voorstellen, dan moest ik een opstel maken en kreeg ik tijdens het schrijven gewoon de slappe lach! Toch heeft het nog jaren geduurd voor het zover was dat ik een heel boek af had. Eerst heb ik Algemene Letteren gestudeerd en een paar (best wel saaie) banen gehad. Daarna ben ik gaan schrijven voor bedrijven. Je weet wel, van die serieuze teksten. Maar nu dan eindelijk *Juul on fire*. Ik hoop dat je er net als ik veel lol aan beleeft. Laat je het me weten op www.yvonnehuisman.nl? Schrijf ik ondertussen lekker door. Want Juul zit alweer midden in een volgend avontuur!

Yvonne

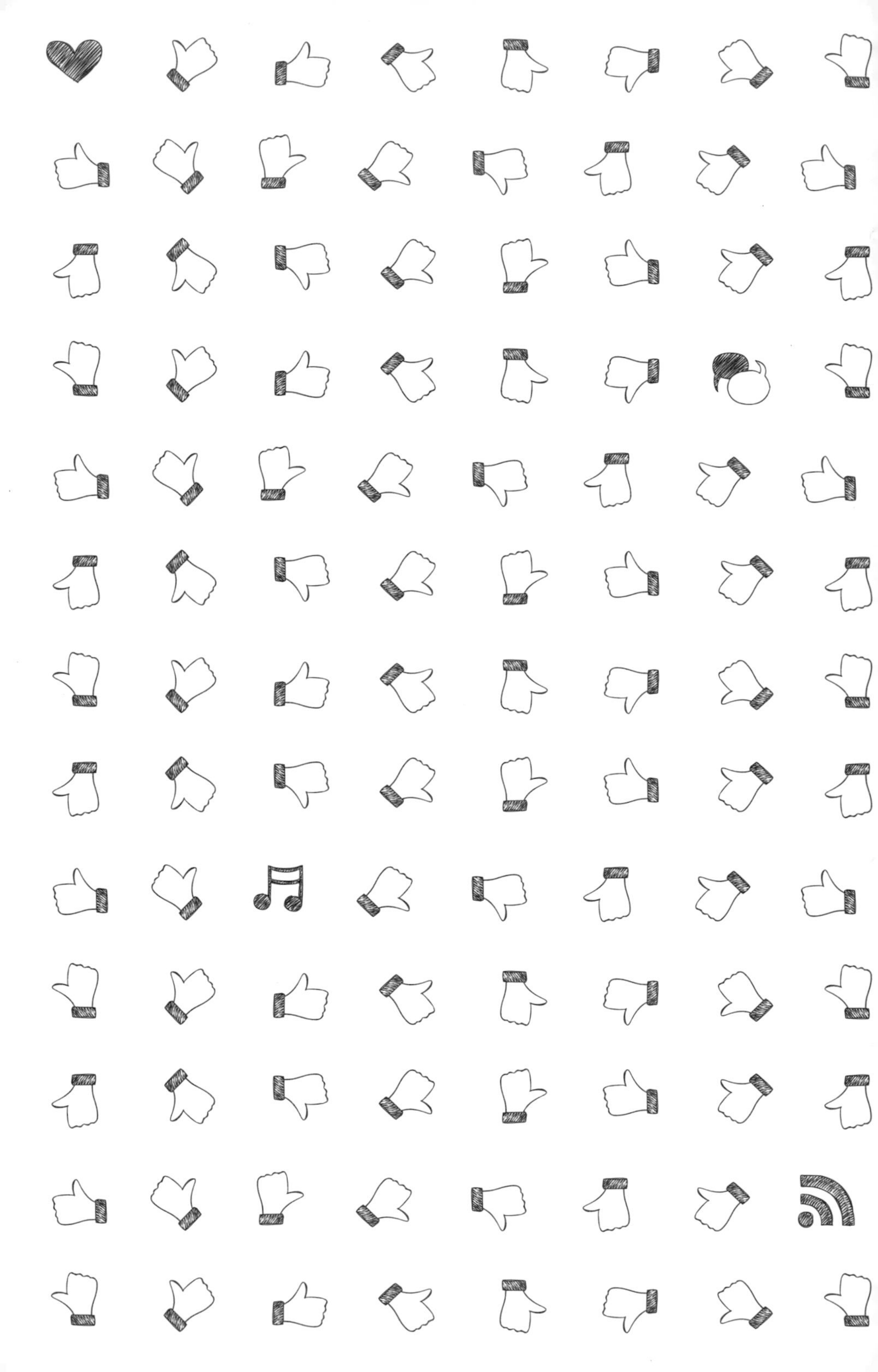